Fabio Volo

QUANDO TUTTO INIZIA

MONDADORI

Dello stesso autore
nelle edizioni Mondadori

Esco a fare due passi
È una vita che ti aspetto
Un posto nel mondo
Il giorno in più
Il tempo che vorrei
Le prime luci del mattino
La strada verso casa
È tutta vita
A cosa servono i desideri

librimondadori.it
anobii.com

Quando tutto inizia
di Fabio Volo

ISBN 978-88-04-68202-8

© 2017 Mondadori Libri S.p.A., Milano
I edizione novembre 2017

Anno 2017 - Ristampa   3 4 5 6 7

Quando tutto inizia

Al coraggio di perdersi

La vita non ti dà le persone che vuoi, ti dà le persone di cui hai bisogno: per amarti, per odiarti, per formarti, per distruggerti e per renderti la persona che era destino che fossi.

ANONIMO

Ma senza saperlo ero di più.

FERNANDO PESSOA

Uno

Le cose importanti iniziano quando tutto sembra finito.

Me lo ripeteva sempre mio padre, me l'ha detto così tante volte che quando ci penso sento ancora la sua voce.

Sono nudo, sdraiato sul letto, con il viso appoggiato al seno della donna che amo. Sento il calore della sua pelle, il battito del suo cuore, sto bene, come non mi sentivo da tempo.

Fuori da questa stanza d'albergo esiste il mondo, con i suoi rumori e le sue difficoltà. Ma io non sento nulla. L'unica cosa di cui mi importa è la mia felicità.

Sono stato molto contento quando, dopo averle chiesto di accompagnarmi, Silvia ha accettato. Per lei non è facile prendersi questo tempo.

La giornata di oggi è stata perfetta, magica.

Questa mattina abbiamo preso il treno per Verona.

Durante il viaggio ho lavorato al computer, mentre lei mi sedeva accanto, leggeva e teneva la mano appoggiata sulla mia gamba. Quel gesto ci faceva sembrare già una coppia.

Verso le undici ha chiuso il libro e mi ha chiesto se volevo un caffè.

«Preferisco continuare, voglio finire il prima possibile.»

Stavo seguendo la campagna pubblicitaria di una grossa azienda alimentare, un cliente importante che vende in tutto il mondo. Avrei dovuto presentare le prime idee il giorno seguente.

«Te lo porto io» ha detto prima di prendere la borsa e alzarsi.

Camminando ondeggiava insieme al movimento del treno. Sono rimasto a guardarla finché è sparita.

Sapevo già dove avremmo pranzato, una vecchia osteria nel centro che conoscevo bene, avevano dell'ottimo vino e dei piatti stagionali che non erano male. Per la cena, invece, avevo pensato a un posto speciale, un ristorante con un piccolo cortile interno, un'atmosfera molto riservata, romantica. Avevo prenotato con largo anticipo e mi ero assicurato uno dei cinque tavoli del cortile, già ci vedevo seduti sotto il pergolato a bere un buon rosso.

Mi sono buttato nel lavoro finché mi sono accorto che era passato più di un quarto d'ora da quando si era alzata. Ho guardato verso la porta automatica e l'ho vista tornare.

A volte è come se sentissi la sua presenza.

Aveva una gonna ampia color nocciola e una camicia bianca. Ho avuto un piccolo sussulto di piacere, con lei mi succede spesso, quando la guardo.

Mi ha passato il caffè e si è seduta.

«C'era coda al bar?»

«Hai rischiato di arrivare a Verona da solo.»

Non capivo, l'ho guardata con il bicchiere di carta in mano.

«Ho incontrato un uomo che mi ha offerto il caffè e una vita senza problemi.»

Ho sorriso prima di dare un sorso. «Non si può mai stare tranquilli.» Mi aveva preso un caffè lungo e senza zucchero, come piace a me.

Si è seduta e ha cambiato discorso: «Qual è l'idea della campagna?».

«Vogliono rilanciare un prodotto leader per l'azienda, che è sul mercato da cinquant'anni e ha fatto la storia del marchio. Parto dall'idea che un anno è un giro completo della terra intorno al sole. Io ho trentanove anni, il che significa che ho girato trentanove volte intorno al sole.»

«Non ci avevo mai pensato. Ho girato intorno al sole trentacinque volte e nemmeno lo sapevo.»

«Dimostri meno giri.»

È scoppiata a ridere. Ogni volta che lo fa mi contagia, è capace di ridere di gusto come i bambini.

«Allora, sentiamo, che ti ha detto l'uomo del bar?»

«Credevo di essere riuscita a depistarti. Geloso?»

«Curioso.»

«Di cosa?»

«Di come approcciano gli uomini. Il rimorchio è il vero advertising, devi vendere te stesso in un paio di battute, frasi a effetto per piazzare un prodotto.»

Ha sorriso con malizia.

Ho sempre invidiato le donne, se ne stanno lì ad aspettare che qualcuno si avvicini e si giochi la carta buona, la strategia vincente.

«La maggior parte delle volte è una delusione» ha detto.

«Anch'io lo sono stato?»

Non ero riuscito a trattenermi dal chiederglielo.

«Tu no e sai perché?»

L'ho guardata in silenzio, in attesa di sentire come sarebbe andata avanti.

«Non mi hai avvicinato con l'intenzione di sedurmi. Anche la seconda volta che ci siamo visti, mi hai parlato in modo normale, non hai tentato nessuna strategia. Sono caduta nella tua rete senza che tu lo volessi, come uno di quei pesci che abboccano all'amo anche se non c'è l'esca, solo perché hanno visto qualcosa luccicare.»

«E chi ti dice che non fosse quella la strategia? La non-strategia come strategia?»

Ha sorriso: «Sei intelligente, ma non così intelligente, sei sempre un uomo. Una cosa del genere potrebbe pensarla solo una donna».

Abbiamo riso e non ho resistito, l'ho baciata lì, davanti a tutto il vagone. Silvia aveva un luccichio da cui non riuscivo a difendermi.

Poi, prima che tornasse a immergersi nella lettura, sono tornato io all'attacco: «E l'uomo del bar?».

«Quello ne ha fatti parecchi, di giri intorno al sole, avrà avuto l'età di mio padre.»

Mi è sembrata infastidita.

«Non ti ha fatto piacere?»

«Mi ha messo in crisi» ha sorriso, poi ha aggiunto: «Nonostante la sua età ha pensato di avere delle possibilità con me. Non credevo di sembrare così disperata».

Silvia è l'unica donna che conosco a cui piace ironizzare così su di sé.

«Almeno è stato gentile?»

«Molto galante.»

«Ti ha offerto il fazzoletto di stoffa?»

«Fin lì non è arrivato» ha risposto ridendo. «Mi ha fatto capire chiaramente di essere un uomo capace di prendersi cura di una donna.»

«Nel senso che aveva i soldi?»

«Soldi e soprattutto esperienza. Sapeva cosa fare.»

«E tu cosa hai risposto?»

Ha aspettato qualche secondo prima di parlare. «Che non mi andava di guidare.»

L'ho guardata per essere sicuro di aver capito bene.

«Gli uomini di quell'età hanno la macchina grossa, ma la guida la moglie giovane» ha spiegato.

Ho immaginato un SUV guidato da una bella bionda sulla cinquantina con la coda alta, in tenuta da tennis. Accanto a lei, il corpo accartocciato di un vecchio che si aggrappa alla maniglia sopra la portiera.

«Non ho voglia di scarrozzarlo in giro» ha aggiunto, e siamo scoppiati a ridere.

Le ho preso la mano e le ho baciato le dita. Non gliel'ho lasciata finché non siamo arrivati a Verona. Le sue mani sono come una calamita per me, appena posso le tengo tra le mie.

Siamo passati in hotel e abbiamo messo giù le borse. La camera era molto accogliente, Silvia ha sistemato le sue cose sul lato del letto vicino alla finestra. Poi abbiamo passeggiato tra i vicoli, come una delle tante coppie di innamorati.

Al ristorante eravamo così euforici che abbiamo ordinato la degustazione dei vini, il tagliere di salumi e il risotto all'amarone.

Avevamo voglia di divertirci, di essere stupidi. Prima di andarcene abbiamo preso un'altra bottiglia di rosso da portare in albergo.

Nel tragitto continuavamo a ridere e per tre volte ci siamo dovuti fermare per appoggiarci al muro.

In camera abbiamo aperto la bottiglia, ho riempito due bicchieri. Lei beveva a piccoli sorsi, bagnandosi appena le labbra. I suoi baci sapevano di vino. L'ho spogliata: prima la camicia, poi la gonna, poi il reggiseno, poi le mutande.

Si è lasciata cadere sul letto. Le baciavo le caviglie, i polpacci, le ginocchia. Mi ha preso la testa tra le mani, ha fatto una lieve resistenza, forse le stavo facendo il solletico o forse quello che sentiva era troppo intenso.

Con la bocca tra le sue gambe, il sapore del vino si è mischiato al suo. Era buona, profumata. Le sue mani guidavano il mio movimento. Poco dopo, un sussulto, sulle mie labbra il suo orgasmo.

L'ho guardata negli occhi, ho preso il bicchiere di vino, ne ho bevuto un sorso e dalla mia bocca gliene ho dato un po'.

Mi sono spogliato e abbiamo fatto l'amore, poi siamo crollati l'uno accanto all'altra.

Con lei è difficile misurare il tempo. Insieme abbiamo la capacità e la forza di entrare in una dimensione dove tutto si dilata.

Mi sono accorto di essere innamorato quando già c'ero dentro fino al collo. È stata una sorpresa, ero convinto che non ne sarei stato più capace. L'ultima volta è stato così faticoso che pensavo la mia ex si fosse portata via tutto, il coraggio, le possibilità, gli imprevisti.

Con Silvia eravamo stati chiari: ogni tanto ci vediamo e cerchiamo di stare bene. Nessuno dei due voleva una relazione. E forse è stato questo a farci cadere. Le premesse ci hanno liberato da fraintendimenti, paure, aspettative. Avevamo stabilito un limite, un perimetro; all'interno di quello spazio avevamo libertà di movimento, nessuno dei due desiderava andare oltre.

Questa serenità ci ha fatto abbassare la guardia e a un certo punto qualcosa dentro di me è cambiato. Tutte le teorie sono saltate, cancellando ogni resistenza.

Oggi sono un'altra persona, ho smesso di avere paura. Mi sono accorto di aver passato gli ultimi anni nel terrore di perdere il controllo sulla mia vita, di provare qualcosa di così forte da poter andare oltre gli schemi. Mi chiedo se è stata una parte di me a venire alla luce oppure se è stata Silvia a crearla.

Con il viso appoggiato sul suo seno, nel silenzio e nella quiete della stanza, sono sicuro che lei stia provando le stesse cose che provo io.

Il silenzio ci serve per mettere in ordine la felicità, per sistemarla da qualche parte dentro di noi, trovarle uno spazio nuovo.

«Mi fido di te» le dico senza quasi rendermene conto, rompendo la sospensione del momento.

Sento il battito del suo cuore accelerare.

«Non mi fido mai di nessuno, ma di te sì.»

Ho appena tolto la maschera.

«Sarà che mi sono innamorato.»

Sto giocando a carte scoperte, obbligando anche lei a fare lo stesso.

Silvia è immobile, mi sembra che il suo corpo stia diventando sempre più caldo. Dopo tutte le premesse che per mesi ci siamo detti, sono sicuro che non si aspetti queste parole, è confusa. Non abbiamo mai usato la parola "amore", non perché tra di noi non esista, anzi, è la condizione del nostro stare insieme. Solo che non ce lo siamo mai detto.

Mi mette una mano sulla testa e mi allontana appena: «In che senso?».

Tra tutte le risposte possibili, è l'ultima a cui avrei pensato.

Alzo la testa e mi volto verso di lei, ha gli occhi chiusi.

«Stai bene?»

«Sì» mi risponde senza aprirli.

Si siede sul bordo del letto e si passa le mani tra i capelli per sistemarli. Raccoglie da terra la camicia, la infila e la abbottona. Di colpo l'atmosfera è diventata tesa. Mi allungo verso di lei, con un dito le afferro l'elastico delle mutande, lo tiro facendolo schioccare.

Lei si volta e improvvisa un sorriso che non le avevo mai visto, le irrigidisce il viso.

«Che c'è?»

«Niente.»

Eccoci qui, al famoso "niente" delle donne, quello che porta inevitabilmente a "se non ci arrivi da solo, è inutile che te lo dica". Da Silvia non me lo sarei mai aspettato.

«Vieni qui», cerco di afferrarla e tirarla a me, ma lei si alza ed esce dal mio raggio d'azione.

«Devo andare.»

«Come?» penso alla cena che ci aspetta, alla nostra prima notte insieme.

«Non me la sento» mi dice chiudendosi la gonna. Prende l'astuccio dei trucchi per andare in bagno a sistemarsi. Non mi ha ancora guardato negli occhi.

«Fermati un attimo», mi alzo e le vado di fronte. Le appoggio le mani sulle spalle.

Mi guarda dritto in faccia, è agitata. «Mi spiace.»

In un istante capisco che sono da solo a voler attraversare i confini che ci siamo dati.

«Mi spiace» ripete lei.

«Non lo fare.»

«Cosa?»

«Ripetere che ti spiace.»

M'infilo le mutande e la camicia, lei mi guarda in silenzio, poi si avvicina. «È diventato complicato, non era così che doveva andare.»

«Con lui non puoi essere felice come lo sei con me.»

«È sempre mio marito. Non è così semplice.»

Finisco di rivestirmi.

«Non mi aspetto che questa sera torni a casa e lo lasci così, all'improvviso. Sono pronto ad aspettare il tempo che serve.»

La guardo dritto negli occhi.

«Se è quello che vuoi anche tu.»

Non riesco a leggere la sua espressione.

«È quello che vuoi anche tu?»

Non risponde, infila nella borsa l'astuccio dei trucchi.

«Vuoi stare con lui o vuoi stare con me?»

«Il punto non è quello che voglio io.»

«Per me sì. In questa stanza siamo io e te, e non conta nient'altro.»

Oggi, dopo mesi, siamo riusciti a passeggiare tenendoci per mano e stavamo bene, eravamo felici, anche lei lo era. Non posso aver frainteso, sono certo di quello che lei prova per me. Voglio essere il suo uomo, voglio che lei sia la mia donna, alla luce del giorno.

Si gira e prende il soprabito.

«Devo andare.»

«Se vuoi andare, nessuno ti trattiene» dico con durezza, nonostante sia l'esatto opposto di quello che provo e desidero in questo momento.

Si ferma davanti alla porta e fruga nella borsa: «Non trovo il telefono».

Lo vedo sul comodino, lo prendo e vado verso di lei: «Eccolo».

Si volta, ha gli occhi pieni di lacrime.

Non l'avevo mai vista piangere, non sono preparato al suo dolore.

La lascio andare.

Il suono della porta che si chiude mi rimane impresso come un tuono. Sono sconvolto, in pochi minuti sono passato da una specie di beatitudine a una catastrofe.

Resto in piedi, mi guardo intorno, la stanza sembra un campo di battaglia, la bottiglia di vino, i bicchieri sul comodino, i cuscini a terra. Dentro e fuori di me c'è solo disordine.

Non riesco nemmeno a capire se l'ho persa per sempre.

Due

La prima volta che l'ho vista è stata una vertigine. Era maggio, la vita sbocciava sugli alberi e sulle donne per strada, sotto i vestiti leggeri si intuivano le forme del corpo.

Da qualche giorno mi svegliavo di buon umore, avevo la sensazione che qualcosa di bello stesse per accadere. Ogni anno in primavera è sempre così. Credo sia una forma di entusiasmo per aver superato un altro inverno.

Era un sabato mattina, si sposava Luca, un mio collega. Non saprei dire se siamo amici, di sicuro passiamo molto tempo insieme.

L'ho conosciuto in agenzia e al lavoro chiacchieriamo, ridiamo molto, ci confidiamo, ma poi fuori non ci vediamo mai.

Il nostro rapporto non ha avuto la capacità di superare le mura dell'ufficio. Ho quasi quarant'anni, lui un anno meno, e alla nostra età è raro trovare una persona con cui andare d'accordo. Un'affinità come la nostra dovrebbe esprimersi anche fuori dalle ore di lavoro. Invece no.

Luca ha sempre la battuta pronta e ama quelle

volgari, che per una strana ragione dette da lui non suonano sgradevoli. Se qualcun altro dicesse le stesse cose sarebbe insopportabile.

So molte cose della sua vita, il giorno del matrimonio guardavo la sposa e trovavo curioso il fatto di conoscere di lui cose che lei nemmeno immaginava. Luca odiava andare a pranzo la domenica dai genitori di lei, trovava il padre un uomo saccente e pesante, tanto quanto la cucina della madre.

Si erano appena sposati e lei non aveva mai saputo che c'era stato un mezzo tradimento.

Una sera eravamo in un locale insieme a dei clienti che venivano da fuori. Dopo la cena al nostro tavolo si erano aggiunte delle ragazze, e tra un bicchiere e l'altro Luca ne aveva baciata una, davanti a tutti.

Il giorno dopo in ufficio era agitato: «Gabriele, non è stato solo un bacio, ho sentito qualcosa. Secondo te è una che frequenta quel posto? Dici che se torno la ritrovo?».

«Ti vorrei ricordare che tra qualche mese ti sposi.»

«Magari mi sto sbagliando, magari è lei la donna che devo sposare. È tutta la mattina che ci penso.»

«Lascia stare, Luca, dammi retta» gli avevo detto mettendogli una mano su una spalla.

Sono sicuro che ancora oggi si chiede cosa sarebbe successo se l'avesse rincontrata, che vita sarebbe stata quella insieme a lei. Ognuno di noi ha una serie di vite ipotetiche che si proietta in testa nei momenti di stallo. Sono immagini create dalla mente a cui non bisogna dare troppa importanza, perché non sono reali.

Luca diceva sempre che non si sarebbe mai sposato, poi ha iniziato a dire che, sposato o no, non faceva differenza, quindi di come aveva paura che, se non si fosse sposato, lei lo avrebbe lasciato, e alla fine siccome lei ci teneva aveva deciso di farlo.

«Congratulazioni» gli avevo detto.

«Sì, mi sembra la cosa giusta da fare, e poi comunque ho pensato a una cerimonia non classica, pochi invitati, qualche parente e qualche amico, magari un ristorantino sulla spiaggia. Niente chiesa, tanto non siamo credenti. Più che un matrimonio sarà una festa, una scusa per stare insieme tra amici.»

Ho pensato a tutte le volte che avevo sentito quel discorso e ho fatto un mezzo sorriso: «Quando ti sposi?».

«Fosse per me anche domani così non ci penso più, ma Marisa dice che le serve qualche mese per perdere un paio di chili, per il vestito e per le foto. Mi ha suggerito di fare lo stesso ma col cazzo che mi metto a dieta. Mi trovi ingrassato?»

«Sei perfetto, Luca, viene voglia di baciarti ogni volta che ti si guarda.»

«Fanculo.»

La famosa festa sulla spiaggia con pochi invitati, pochi parenti, qualche amico, alla fine non c'è stata. Si sono sposati in chiesa perché i genitori di lei sono molto religiosi, in special modo la nonna, che è vecchia e non volevano darle un dispiacere. I parenti erano tanti, soprattutto da parte della sposa. Al banchetto era venuto anche il prete, a vederlo non so se credesse veramente in Dio, di sicuro credeva nel prosecco. I tavoli erano allestiti nel giardino di un ristorante appena fuori Milano, a pochi passi da un famoso motel per scambisti. Tutto era bianco, tavoli, tovaglie, piatti, fiori, perfino le sedie erano rivestite di bianco. Avevo saltato la cerimonia e mi ero presentato direttamente al pranzo.

Al tavolo eravamo in otto, tutte coppie tranne me e, come mi era stato detto, una ragazza, che però non si era ancora vista.

Prima di sedermi sono andato da Luca: «Ma perché non mi hai messo con gli altri dello studio?».

«Ti ho fatto un regalo. Al tuo tavolo c'è una ragazza single come te. Mi ringrazierai.»

Se c'è una cosa che mi ha sempre dato fastidio è quando qualcuno mi combina un incontro.

«Non mi serve una fidanzata, non ce l'ho e sto bene così.»

«Chi ha detto che ti devi fidanzare? Là ci sono i bagni e ce ne sono due anche al piano di sopra, e sono tutti abbastanza spaziosi.»

«Non essere squallido» ho detto in tono ironico.

«Ma che squallido, alle donne piace essere scopate ai matrimoni degli altri. E poi lei è un po' che non batte chiodo, ha una fame che se te lo prende in mano ti ci vuole un team di avvocati in gamba per riaverlo indietro.»

Avevo sentito già mille volte quella battuta, ma detta da Luca mi ha fatto comunque ridere.

«Il giorno del tuo matrimonio sei andato a fare il tour dei bagni per vedere se sono abbastanza spaziosi per dei rapporti sessuali?»

«Certo, sono settimane che ci penso. Io a un certo punto Marisa me la porto. Prima di andare fammi dei segnali, così non rischiamo di ritrovarci lì nello stesso momento.»

Ho sorriso. «Ce la metterò tutta.»

Mi sono seduto al tavolo, c'erano tutti tranne lei. Mentre scambiavo qualche parola di circostanza con gli altri, guardavo la sedia vuota e cercavo di immaginarmi come potesse essere. Ogni donna che si avvicinava al tavolo mi dicevo "eccola", ma non succedeva mai che venisse a sedersi. Più passava il tempo, più la mia curiosità aumentava.

«Scusate il ritardo.»

Mi sono voltato e l'ho vista. Era molto carina, aveva un vestito blu, semplice, con dei ricami sul collo e sui polsi. Capelli castani, sciolti fino alle spalle. Non aveva nemmeno la solita impalcatura, ai matrimoni alle donne piace mettersi un alveare in testa. Lei invece era normale.

«Sono la classica coppia che non si lascerà mai. Non credi?» mi ha detto parlando degli sposi.

Non sapevo cosa rispondere, conoscevo solo Luca e questo mi bastava per pensare l'esatto contrario. «Credo tu abbia ragione. Sono nati per stare insieme.»

Ho ripensato a un vecchio che avevo conosciuto in un bar durante un viaggio in Umbria. Avevamo parlato una decina di minuti, eppure mi aveva detto una frase che ricorderò per sempre: «Le persone divorziano sempre e solo per un motivo».

«E qual è?» gli avevo chiesto curioso.

«La donna sposa l'uomo pensando di cambiarlo, ma lui non cambia mai. L'uomo sposa la donna pensando che non cambierà mai, e invece cambiano sempre. Tutte.»

Avevo sorriso pensando a quanto fosse vero. Poi il vecchio mi aveva esposto la sua teoria sulla incomunicabilità nella coppia.

«La differenza sostanziale tra l'uomo e la donna è

che la donna si lamenta se non si sente amata, l'uomo perde interesse se non si sente rispettato. Hai mai sentito un uomo dire a sua moglie: "Non mi ami abbastanza?".»

Ci avevo riflettuto, la teoria mi aveva convinto.

Poi, il vecchio aveva aggiunto: «Sono due mondi che non possono stare insieme, purtroppo l'ho capito dopo anni di matrimonio».

«Quindi ha divorziato?»

Aveva tracannato un bicchiere di rosso e poi mi aveva detto: «E chi ce li ha i soldi per divorziare!».

Ho continuato a parlare con la ragazza al mio tavolo, finché non sapevamo più cosa dirci. Mi guardava e sentivo di piacerle.

Non avevano ancora servito il secondo e a me sembrava di essere lì da un'eternità. «Ho dimenticato una cosa in auto, torno subito.» Mi sono alzato e sono andato nel parcheggio.

Mentre passeggiavo e sentivo la ghiaia scricchiolare sotto ai piedi mi sono fatto una promessa: alla mia età dovevo stare più attento a come spendevo il mio tempo, dovevo imparare a essere più selettivo.

Ho aperto la portiera, mi sono seduto e ho acceso l'autoradio. In quella solitudine sono stato assalito da mille voci interiori.

"Metti in moto e vai, non se ne accorgerà nessuno. Nessuno ti conosce tranne quelli dell'agenzia e Luca, che ha cose più importanti da fare."

"Torna, ubriacati e portati la ragazza in bagno."

"Entri, saluti, dici che hai avuto un problema e te ne vai."

"Se devi andartene, vattene adesso, sei già al volante."

Mi sono guardato nello specchietto retrovisore cercando uno sguardo amico, ma non l'ho trovato.

Ho avviato il motore e mi sono lasciato tutto alle spalle.

Non sapevo nemmeno dove andare, non ero molto distante da casa ma non ci volevo tornare. Guidavo senza una meta, volevo solo allontanarmi dal matrimonio. Ero felice perché stavo facendo quello che volevo, e allo stesso tempo deluso per essere incapace di un gesto semplice e gentile, come partecipare al matrimonio di un collega quasi amico.

Ho alzato il volume e ho abbassato il finestrino. Poche cose mi fanno sentire libero come cantare in auto e prendere l'aria sulla faccia, e a maggio l'aria è ancora frizzante.

Più guidavo, meno mi sentivo in colpa, canticchiavo una canzone che stavano passando in radio, un pezzo di Paul Young che non sentivo da anni, *Every Time You Go Away*. Con la mano fuori dal finestrino facevo le onde.

Me la sono cantata tutta e alla fine stavo bene, la musica aveva spazzato via ogni ripensamento e senso di colpa.

Così dovresti vivere, mi sono detto.

Mi sono ritrovato vicino alla mia gelateria preferita. Mi sono fermato, ho preso un gelato enorme e sono uscito a mangiarlo su una panchina di legno. Accanto a me c'era una bambina, le sue gambe ciondolavano impazienti. Dopo qualche secondo è arrivata sua madre e le ha messo in mano un cono.

«Vuole sedersi qui?» le ho chiesto.

«No, grazie, dobbiamo andare», e mi ha sorriso.

La bambina, con un piccolo balzo, è scesa dalla panchina. Mentre si allontanava con la mamma, si è voltata e mi ha fatto ciao con la mano.

Era il periodo dell'anno in cui la gente non sa come vestirsi. Alcuni erano in maglietta, altri avevano maglioni leggeri, un uomo addirittura un giaccone. Quello che si notava di più ero io, l'unico con un abito da cerimonia.

«È libero? Posso sedermi?»

Ho alzato lo sguardo e lei era lì, una delle cose più belle che abbia mai visto in tutta la mia vita. In quell'istante, ho avvertito una vertigine.

Non era una bellezza assoluta, immediata, abbagliante, era il mio tipo di bellezza. Aveva capelli castano scuro, lunghi fino alle spalle, una pelle chiara, luminosa. Indossava un paio di jeans, una maglietta bianca scollata a V.

«Certo» ho risposto.

Mi si è seduta accanto. Nella testa mi è balenata una frase che mi ha fatto sorridere: "Questa sì che me la porterei nel bagno del ristorante".

La guardavo, lei se ne è accorta. Volevo trovare qualcosa di intelligente da dire, ma in quel momento non mi veniva nulla.

«Di solito non mi vesto così per mangiare un gelato. Tendo a essere meno formale.»

Quando ho finito di parlare mi sono immaginato il suo pensiero: "Ma a me che importa di come ti vesti per mangiare il gelato?".

Invece ha detto con un'espressione divertita: «Me lo stavo giusto chiedendo».

«Davvero?»

«No.»

La sua risposta fulminante mi ha fatto scoppiare a ridere.

«E perché sei vestito così?»

«Sono appena scappato da un matrimonio.»

«Spero non il tuo.»

«Purtroppo sì, ho cambiato idea all'ultimo.»

Ci siamo guardati, cercava di capire se stessi scherzando. «Ci sarà rimasta male.»

«Sono un uomo difficile da dimenticare.»

Ha sorriso.

Avevo sperato che la mia battuta potesse innescare un dialogo più lungo, invece si era incagliato subito. Non sapevo come farlo ripartire.

È stata lei a rompere il silenzio: «Certo che non sembri molto dispiaciuto. Magari hai voglia di stare solo e piangere un po'».

Sono stato al gioco: «Anche se volessi non riuscirei, non piango facilmente».

«Nemmeno io, solo davanti ai film, a volte.»

«Succede a molti, è per la musica. Nei film mettono sempre una musica struggente.»

Mi ha guardato qualche secondo: «Non ci avevo mai pensato».

«Anche in questo momento, se ci fosse un sottofondo sarebbe tutto più emozionante, non trovi?»

«E cosa metteresti?»

Nonostante sia amante della musica non mi veniva in mente nulla. «Hai suggerimenti?» le ho chiesto.

Lei ci ha pensato un po' su e poi ha detto: «*For What It's Worth*. La conosci?».

Mi sono illuminato, trovare una donna che conosca quella canzone è raro. È stato come fare tris alla slot machine, ho sentito il tintinnio delle monete.

Emozionato le ho risposto: «Buffalo Springfield».

Mi ha guardato sorpresa, avevo fatto colpo.

Siamo rimasti in silenzio qualche secondo. Non so a cosa stesse pensando lei, io mi stavo facendo i complimenti da solo. Quando incontro una persona niente mi gratifica e mi gasa di più del poter dire: "Sì, lo conosco". A volte per fare bella figura ho persino finto di aver visto un film o letto un libro.

Il mio sguardo è caduto sulle sue mani, aveva dita lunghe e affusolate.

«Vedo che tu invece non hai fatto in tempo ad andartene» ho detto indicando la fede.

«Era più lui quello insicuro, io ai tempi non avevo dubbi», si è alzata ed è andata a prendere un tovagliolino di carta.

L'ho osservata bene, camminava in modo elegante, il suo corpo era armonioso. "È un vero peccato che sia sposata" mi sono detto.

Quando è tornata abbiamo ripreso a chiacchierare, parlavamo senza un filo, saltando da un argomento all'altro.

Dopo una risata mi ha detto: «Sai quando mi commuovo veramente con un film? Quando lo guardo in aereo».

«È per la pressione che ti schiaccia, le lacrime escono più facilmente.»

Si è messa a ridere.

Stavo andando alla grande.

Si stava creando un gioco di complicità tra noi, come se esprimessimo un'emozione che sentivamo e che non potevamo dirci con le parole.

«Hai paura di volare?» le ho chiesto a bruciapelo.

«No, ma un pensiero lo faccio sempre. Prima di salire chiamo un paio di amiche e cerco di essere divertente e gentile, così da lasciare un buon ricordo di me.»

Stavolta sono stato io a ridere.

C'è stato un altro piccolo silenzio.

«Qual è il film che ti ha commosso di più?»

Volevo vedere se anche sui film sarebbe scattata la scintilla, così come era successo per la musica. Non mi ha risposto subito, ho avuto la sensazione che non mi stesse ascoltando e che la magia tra noi fosse già finita. Invece dopo poco ci siamo guardati negli occhi come se ci vedessimo per la prima volta.

Scoprire che nel mondo esiste qualcuno con cui ti capisci al volo, senza sforzo, è un piccolo miracolo. Ti senti meno solo.

È durato solo una manciata di secondi ma è stato così intenso da sembrare un'eternità. Poi tutto è tornato come prima.

«Ora devo andare» mi ha detto, e si è alzata.

Avrei voluto trattenerla ma non sapevo come, e alla fine l'ho salutata.

Prima di andare alla sua bicicletta si è voltata ancora un momento e mi ha detto: «Chiama la tua ex futura moglie, se sei sincero capirà», mi ha fatto un ultimo sorriso e si è allontanata.

Mentre mi avvicinavo all'auto mi sono accorto di non sapere nemmeno come si chiamava.

Mi sono voltato per guardarla ancora una volta, era sparita.

Prima di partire ho cercato *For What It's Worth* su

Internet. Anche se era una canzone di protesta le prime parole erano perfette per il nostro incontro:

There's something happening here,
what it is ain't exactly clear.

Me ne sono tornato a casa ascoltandola a ripetizione con il sorriso stampato sulla faccia.

Ero invaso dalle immagini di lei mentre rideva, mentre parlava muovendo le mani sottili nell'aria.

Volevo tornare indietro e trovarla lì, ad aspettarmi. Volevo chiacchierare con lei. Volevo rivederla.

Tre

Era una presenza costante, la vedevo ovunque, o meglio, mi sembrava di vederla ovunque. Il desiderio di rincontrarla era così forte che la mia testa la immaginava dentro un negozio, per strada, in un bar, una volta perfino sul portone di casa.

Dopo tre settimane soltanto è successo.

La mattina ho aperto gli occhi qualche minuto prima che suonasse la sveglia. Ho fatto partire la playlist "Risveglio". La ascolto sempre random, così da non sapere mai con quale canzone inizierà la mia giornata. Quel giorno è toccato a *Hazy* di Rosi Golan e William Fitzsimmons. Sono uscito dal letto e ho aperto la finestra che affaccia sul cortile interno, era una bellissima giornata di giugno. Ho sentito sulla pelle il sole tiepido che filtrava attraverso i rami fitti del pino di fronte a casa.

Sono andato in cucina, *Hope* di Jack Johnson usciva dalle casse. Colazione veloce, caffè doccia barba e vestiti puliti.

Il giorno in cui indosso i jeans puliti è speciale, il lavaggio li rende un po' rigidi così non ho bisogno di mettere la cintura, calzano perfettamente.

Appena prima di uscire ho sentito il vicino girare la chiave nella toppa, non avevo voglia di farmi il viaggio in ascensore con lui, ho guardato nello spioncino e ho aspettato di vederlo sparire. Non ho niente contro il mio vicino di casa, è anche una persona riservata, è solo che al mattino mi costa fatica essere socievole.

Passeggiavo verso l'ufficio, il mondo era invaso da donne che indossavano gonne corte, vestiti scollati senza maniche, tacchi alti.

Al lavoro, mentre sfogliavo delle riviste in cerca di ispirazione per una campagna, sono finito su un articolo che parlava del mondo animale: *Comportamenti, abitudini, falsi miti.*

Ho scoperto delle cose che non immaginavo e ho pensato che prima o poi mi sarebbero tornate utili per qualche cliente.

Ho deciso che dopo la pausa pranzo sarei andato in una libreria per fare delle ricerche.

Ho chiesto a Luca se voleva accompagnarmi.

«Le librerie mi mettono ansia» mi ha risposto.

«Come fa a metterti ansia una libreria?»

«Troppe cose da sapere, tutti quei libri pieni zeppi di roba. E poi per quello che faccio io non serve.»

Luca era un account, agganciava i clienti, io invece mi occupavo della parte creativa.

«È proprio questo il motivo per cui dovresti andarci. Leggere qualche libro non ti farebbe male.»

«L'unica cosa che so è di non sapere, diceva il filosofo, e io ho deciso che sono d'accordo con lui.»

«Va bene, vado da solo.»

Una volta dentro, mi sono diretto subito al reparto dedicato agli animali, ho scelto tre libri e prima di andare alla cassa ho girato per gli scaffali. Mi piace farlo, e aspettare che una copertina attiri la mia attenzione.

Ho visto una strada che si perdeva all'orizzonte. I colori erano accesi e lo spazio sconfinato.

L'ho preso in mano, mentre leggevo le prime righe qualcosa mi ha distratto, ho alzato lo sguardo. Oltre lo scaffale, seduta al bar, c'era lei. Ho pensato che fosse la mia immaginazione, forse era solo una donna che le assomigliava. Indossava un vestito leggero, blu, con piccole pennellate di colori.

Sono rimasto qualche secondo a osservarla, guardavo il viso, il collo, i capelli. Con una mano si accarezzava il ginocchio.

Era lei.

Mi sono chiesto se mi avrebbe riconosciuto, se anche lei aveva sperato in un secondo incontro.

Ho attraversato la stanza, mi sono fermato davanti al suo tavolino e sono rimasto in silenzio, immobile. Era assorta nella lettura e non l'ho chiamata, volevo aspettare che sentisse la mia presenza.

Ha alzato la testa, ci siamo guardati negli occhi e siamo rimasti in silenzio. Ho pensato che non si ricordasse e si stesse chiedendo cosa volessi.

I miei dubbi sono stati spazzati via dal suo sorriso, lo stesso che mi aveva catturato la prima volta, quello che veniva dagli occhi prima che dalla bocca.

Me ne stavo lì in piedi muto, e lei con una dolcezza infinita mi ha detto: «Ciao, che sorpresa. Oggi non sei scappato da nessun matrimonio?».

Si ricordava tutto.

«Oggi no.»

«Stai bene anche vestito meno elegante.»

«Trovi?»

«Sì, i jeans ti donano» ha detto con tono scherzoso.

«Vuoi sederti?»

«Prima vado al banco a prendere un caffè.»

«Ti consiglio anche il biscotto con le nocciole.»

Lo ha detto con l'entusiasmo di una bambina.

Quando sono tornato, ho posato il biscotto al centro del tavolino: «Questo lo dividiamo».

«Il mio dentista non sarà contento. Ho appuntamento tra poco qui, nel palazzo a fianco», e ha indicato la sua destra.

Non sapevo come continuare la conversazione, non volevo che si creasse un silenzio imbarazzato e non mi è venuto in mente niente di meglio che chiederle cosa stesse leggendo.

«*La gaia scienza.*»

Con Buffalo Springfield mi era andata bene, qui ho fatto autogol, non ricordavo nemmeno chi lo avesse scritto, sapevo solo che non era un libro alla portata di tutti. Ho cercato di salvarmi con qualcosa di più semplice e sicuro: «Non ci siamo mai detti i nostri nomi, io sono Gabriele ma puoi chiamarmi Gabri, o Gabo».

«Silvia, e non ci sono molte alternative, nemmeno il diminutivo suona bene.»

«Ti chiamerò Silvia. Quindi, quando non vai dal dentista che fai?»

«Insegno pianoforte», ha preso un pezzo di biscotto. Avevo già notato le sue mani, le dita lunghe e affusolate, erano perfette per il piano.

«E tu che libri leggi?» mi ha chiesto prendendone uno di quelli che avevo appoggiato sul tavolino.

«Niente di importante» ho detto imbarazzato. Sapevo che non era una gara, ma i miei libri sugli animali mi facevano sentire un bambino delle elementari. Ho avuto la tentazione di dire che non fossero per me.

«Come mai fai questa faccia?» mi ha chiesto. «Non c'è nulla di male nel leggere un libro sul comportamento degli animali. Hai scoperto qualcosa?»

Non mi sembrava un buon modo per fare colpo, ma lei insisteva: «Sono curiosa».

Alla fine ho ceduto: «Gli squali non dormono mai».

«Come non dormono mai?» mi ha chiesto sorpresa.

Non avrei mai pensato che uno squalo avrebbe potuto rendermi interessante agli occhi di una donna. «A quanto pare fanno riposare il cervello un emisfero alla volta perché devono sempre essere in movimento. Se lo squalo resta immobile, va a fondo.»

«Va a fondo? Un pesce può andare a fondo?»

«A quanto pare sì», mi sono messo a ridere e lei insieme a me.

A un tratto mi sono alzato per far passare tra i tavoli una ragazza con il passeggino. Quando mi sono riseduto le ho chiesto: «Hai figli?».

«Uno.»

Sono rimasto in silenzio, il pensiero che potesse essere madre non mi aveva mai sfiorato. Per simulare disinvoltura le ho domandato: «Quanti anni ha?».

«Tre e mezzo.»

Abbiamo continuato a parlare ma l'atmosfera era cambiata.

«Devo andare» ha detto poco prima delle tre. «Il dentista mi aspetta.»

Quando si è alzata per salutarmi ho pensato che

questa volta non me la sarei fatta scappare di nuovo: «Ci devi tornare ancora?».

«Sei preoccupato per i miei denti?»

Mi ha osservato qualche secondo, sapevo di essermi esposto.

«Giovedì prossimo ho un altro appuntamento. Stessa ora. Posso venire qui un po' prima e possiamo dividere un altro biscotto se ti va.»

Ero già pazzo di quei biscotti.

Quando sono arrivato in studio sono andato da Luca e gli ho raccontato di lei, senza accennare alla faccenda della mia fuga dal suo matrimonio.

La cosa che mi aveva catturato di lei era il modo in cui il suo corpo e il suo carattere si armonizzavano. Il viso, i lineamenti, il modo di muovere le mani erano perfetti per la sua personalità. Quando stavo con lei ero acceso, eccitato, vivo.

«Ha qualcosa che mi prende. Non so dirti cosa sia, ha qualcosa che mi aggancia.»

«È la fede al dito che ti aggancia.»

«Che c'entra quello? Semmai è una seccatura.»

Luca si è messo a ridere: «Dilettante».

Non ci credeva.

Quella settimana d'attesa mi sembrava non finisse mai. Finalmente giovedì pomeriggio sono andato in libreria, ma lei non c'era ancora.

Gironzolavo tra i banchi e le corsie, quando l'ho vista entrare. Silvia è una di quelle persone che trovi subito anche in mezzo alla folla.

Indossava una maglietta bianca con una parola francese scritta in corsivo, non ricordo quale, non ci ho fatto caso, e un paio di pantaloni di lino. Le ho fatto un cenno con la mano e ci siamo seduti a un tavolino.

C'era una leggera tensione, forse perché questa volta ci eravamo dati un appuntamento.

«Vado a prendere il nostro biscotto alla nocciola e due caffè» le ho detto.

«Per me un tè, grazie.»

Mi sono alzato e sono andato al bancone. Era la prima volta che la sentivo in imbarazzo e la cosa mi piaceva, mi sembrava di vedere una fragilità, e questo la rendeva più autentica.

Quando mi sono seduto le ho detto: «Con te a volte mi mancano le parole. Per lavoro mi capita di parlare davanti a molte persone, ma con te mi inceppo».

Silvia mi ha sorriso con tenerezza, ha preso la bustina e l'ha immersa nella teiera.

Lentamente la conversazione ha preso il piede giusto, la tensione iniziale è svanita e ci siamo ritrovati a chiacchierare come le altre volte.

Nei giorni precedenti avevo sperato che la mia attrazione per lei si affievolisse, invece mi piaceva sempre di più. Era così affascinante che spesso mentre mi parlava non sentivo nemmeno le sue parole.

«Vado un attimo in bagno» mi ha detto a un certo punto, «torno subito.»

Sono rimasto seduto ad aspettarla. Sentivo di piacerle, ma non sapevo come comportarmi, non potevo far finta che non fosse sposata e avesse un figlio. Sarebbe stata una complicazione dopo l'altra, mi sarei infilato in un casino.

Senza pensarci mi sono alzato e sono andato in bagno anch'io. Era davanti al lavandino, mi ha guardato attraverso lo specchio: «Mi hai spaventata».

Mi sono avvicinato, il suo viso era a pochi centimetri dal mio, negli occhi le è ricomparso l'imbarazzo di prima. L'ho presa per i fianchi e ho appoggiato le labbra sulle sue. È stato lento, delicato, intenso. Avevo fatto bene a prendermi quel rischio. Mentre lo pensavo, con una mano lei mi ha allontanato.

L'ho guardata. «Credevo lo volessi anche tu.»

«Credevi male.»

Ho fatto due passi indietro. «Scusami.» Mi sentivo un idiota.

Lei ha preso la borsa ed è uscita.

Mi sono guardato allo specchio e in silenzio mi sono dato del coglione.

Sono uscito dal bagno senza nemmeno sapere se fosse ancora lì o se ne fosse andata. Al tavolino non c'era più. Mi sono voltato e l'ho vista dietro uno scaffale con un libro in mano.

Mi sono avvicinato, le stavo alle spalle. «Scusami ancora.»

«Forse è anche colpa mia» ha risposto sempre senza alzare gli occhi dal libro.

Sentivo il suo profumo e le osservavo i capelli, la curva del collo. Aveva un piccolo neo dietro l'orecchio destro, avrei voluto baciarlo.

Mentre pensavo a queste cose ha cercato la mia mano con la sua, me l'ha afferrata e ha cominciato ad accarezzarla dolcemente, a giocherellare con le dita. Ho sentito una vampata di calore.

Mi aveva appena respinto e ora mi accarezzava.

Si è voltata e mi ha guardato negli occhi. Senza pensarci le ho detto: «Voglio rivederti».

È rimasta in silenzio, poi ha detto: «Non posso darti quello che vuoi».

In quel momento non sapevo se fingere, se essere sincero o se insistere.

«A cosa ti riferisci?»

«Alle cose che pensi quando mi guardi così» ha risposto.

Era stata più brava di me, non si era scoperta.

Quattro

La prima volta che abbiamo fatto l'amore ho avuto la sensazione che i nostri corpi fossero stati creati per quello. Insieme erano perfetti, nelle pieghe, nelle misure, nei movimenti.

È successo un pomeriggio di settembre a casa mia. Durante l'estate non ci eravamo sentiti, sapevo che era in vacanza con il figlio e il marito.

A fine agosto, quando ormai avevo perso ogni speranza di rivederla, mi è arrivato un messaggio. Era uno di quei giorni in cui le nuvole coprono il cielo e annunciano la fine dell'estate, e hai voglia di indossare di nuovo le scarpe.

Aveva appena smesso di piovere, l'aria si era rinfrescata. Mi ero infilato una felpa, dalle maniche sbucavano le mani abbronzate e le unghie bianche.

Mentre passeggiavo ho sentito il segnale di notifica nel telefono: "Ciao, come stai?".

Ho risposto subito: "Bene e tu?".

"Sono tornata ieri sera."

Ero contento di risentirla, ma questa volta non avrei fatto il primo passo. Se all'inizio la sua incertezza mi agganciava, ora mi confondeva. Ho deciso di non rispondere al messaggio, almeno non immediatamente.

Dopo una decina di minuti mi ha scritto di nuovo: "Ci vediamo?".

"Libreria?" ho risposto all'istante.

Vedevo la scritta "sta scrivendo...", ma non arrivava nessun messaggio.

Poi, a sorpresa: "Posso venire da te, se ti fa piacere".

Ancora una volta era riuscita a spiazzarmi. Mi sono ritrovato fermo in mezzo alla strada, con il telefono in mano e un sorriso stupido sulla faccia.

Ho chiamato subito la ragazza delle pulizie, volevo che Silvia trovasse tutto in ordine, e Katia era bravissima a rendere la casa perfetta. Mi chiedo sempre perché non sono in grado di farlo come lo fa lei. Sistema il letto in un modo che le lenzuola e il piumone sembrano di legno, non c'è una piega. La sera quasi mi spiace entrarci. Una volta per non rovinare quella specie di scultura mi sono infilato dall'alto, dalla parte della testata. Ho dormito fasciato dalle lenzuola, come il ripieno di un enorme raviolo.

In attesa che arrivasse Silvia, per non sporcare la cucina e riempirla di odori, ho mangiato un panino al bar sotto casa.

Quando sono salito avevo dentro di me la piccola agitazione che si prova al primo incontro. Invece del suono del citofono ho sentito quello del telefono, un messaggio: "Apri".

Mentre l'aspettavo davanti alla porta, sentivo i suoi passi avvicinarsi. Appena l'ho vista sbucare mi è sembrata ancora più bella di come la ricordavo. Era uno schianto.

«Ti ha fatto bene il mare.»

Ha sorriso ed è entrata.

Si guardava intorno. Mi faceva strano vederla in casa mia. Mi ero chiesto più volte cosa l'avesse spinta a prendere la decisione di venire da me. In una coppia, per assurdo, le vacanze possono essere il tempo più difficile da passare insieme. La routine e le abitudini del quotidiano saltano, trovare nuovi equilibri può essere molto complicato. Per questo forse era lì, le sue vacanze erano state un disastro.

«Vuoi qualcosa? Io mi faccio un caffè.»

«Caffè anche per me.»

In cucina ho preparato la moka e quando sono tornato l'ho trovata in piedi di fronte alla libreria: «Quindi non leggi solo libri sugli animali?».

«I libri che vedi sono quelli di una vita fa, adesso leggo solo di rettili, mammiferi e insetti.»

Ha sorriso di nuovo.

«Hai imparato altre cose oltre alla storia sugli squali?»

«Le giraffe non hanno le corde vocali.»

«Quindi non parlano tra di loro?»

«Comunicano facendo vibrare l'aria attorno al collo.»

«Non lo sapevo. Sapevo che partoriscono in piedi e il cucciolo fa un salto di quasi due metri.»

«Questa non l'ho letta. Praticamente nasce come se fosse sparato fuori da uno scivolo in un parco acquatico.»

Siamo scoppiati a ridere entrambi.

La casa era già piena del suo profumo.

Le ho preso una mano e l'ho attirata a me, la sua espressione è cambiata, ci siamo scambiati un lungo sguardo. Mi sono avvicinato al suo viso, volevo un bacio. In quel momento, dalla cucina è arrivato il suono della moka. Le ho lasciato la mano e lentamente mi sono allontanato.

Sono tornato con le tazzine e ci siamo seduti sul divano. Il bacio mancato di prima mi aveva lasciato una voglia più forte, ho avuto la sensazione che lei lo avesse capito e che ora stesse prendendo tempo nel bere il caffè. Sapeva che quella tazzina era l'unico ostacolo tra noi.

Per la prima volta sembrava agitata e insicura, mi ha guardato come se volesse dirmi qualcosa, poi ha appoggiato la tazzina. «Non sarei dovuta venire, è stato uno sbaglio. Mi dispiace.»

Avevo messo in conto che sarebbe potuto succedere.

«Non ti devi scusare.»

«È meglio che vada.»

«Non ce n'è bisogno, non sei obbligata a fare qualcosa che non vuoi.»

Mi ha sorriso e la tensione che aveva sul viso se n'è andata.

«Tu mi piaci, mi sono immaginata questo incontro un sacco di volte, ma adesso che sono qui e che non è più una fantasia non ce la faccio. Mi vergogno anche un po'.»

Era in difficoltà, ho provato un forte senso di tenerezza: «Possiamo anche solo parlare, ho scoperto un sacco di cose su come si pettinano i barboncini».

Ha riso e d'istinto l'ho abbracciata. All'inizio è rimasta rigida, poi si è lasciata andare.

Mi ha guardato un istante, stavo per dirle che andava tutto bene quando mi ha interrotto appoggiando le sue labbra alle mie.

Un bacio infinito, caldo.

Il desiderio dentro di me cresceva, ma non volevo metterla di nuovo a disagio. Quando mi sono scostato, lei mi ha chiesto di non fermarmi.

Ho iniziato a toccarle le gambe, i fianchi, il sedere, la schiena. Il mio viso era vicinissimo al suo, le ho slacciato la cintura dei pantaloni. Ha appoggiato una mano sulla mia nel tentativo di fermarmi. Sentivo che stava giocando.

Le ho sbottonato i pantaloni e ho abbassato la lampo. La guardavo dritto negli occhi, mentre le dita della mia mano si sono fatte largo dentro l'elastico delle sue mutande.

Il suo respiro era più profondo, lentamente ha chiuso gli occhi. Ho avvicinato le labbra, le nostre lingue si sono toccate.

Le ho sfilato i pantaloni, poi le mutande.

Dove prima toccavo adesso baciavo con la bocca, con la lingua. Ho sentito le sue mani afferrarmi la testa per avvicinarmi a lei, ho alzato lo sguardo, ho capito che mi voleva.

Stavo per toglierle la maglietta ma mi ha fermato: «La maglietta no». Ho capito dal tono della sua voce che non dovevo farlo.

Mi sono spogliato e lì sul divano abbiamo fatto l'amore la prima volta. Silvia non aveva avuto più nessuna incertezza.

Quando abbiamo finito mi sono lasciato cadere a terra, sul tappeto, e sono rimasto immobile, mi girava la testa.

Mi era piaciuta da subito, ma non potevo immaginare che sarebbe stato così intenso. Ero convinto che Silvia non avrebbe mai ceduto, forse per questo nel fare l'amore con lei avevo provato anche il piacere della conquista.

Ho visto che si stava rivestendo.

«Devo andare.»

Mi parlava senza guardarmi negli occhi.

«Scappi così?»

«Ho un appuntamento, sono in ritardo.»

«Ti sei pentita?»

Mi ha sorriso. «No, non sono pentita.»

Nonostante la sua risposta sentivo che era già lontana.

Quando ci siamo ritrovati sulla porta mi ha salutato velocemente e se n'è andata.

Cinque

Non mi piaceva la sensazione che mi era rimasta addosso, volevo sapere se aveva deciso di vedermi ancora o se quella volta sarebbe stata l'unica. Le ho scritto: "Mi spiace che te ne sia andata via così".

Ha risposto subito: "Sono stata un disastro".

"Posso chiamarti?"

"Ti chiamo io tra un'ora, sto per iniziare una lezione."

Tutti i miei dubbi sono svaniti, anche lei aveva voglia di rivedermi.

Quando ci siamo sentiti, mi ha detto che le era dispiaciuto scappare in quel modo.

«Ho avuto paura che tu potessi pensare male di me.»

L'ho rassicurata: «Non ho pensato niente, speravo solo di rivederti».

Dopo tre giorni eravamo di nuovo sul mio divano.

Non eravamo più i due della gelateria e della libreria, avevo la sensazione che fossimo entrati dentro qualcosa di diverso, un altro livello di intimità, di rischio.

Ci siamo parlati con sincerità, lei mi ha confessato che non aveva mai messo in conto che le potesse piacere qualcun altro oltre suo marito, si era sentita a disagio nel trovarsi nuda davanti a un altro uomo, sentire le sue mani addosso, toccare la sua pelle.

Abbiamo fatto l'amore e, quando l'ho spogliata, è stata lei a togliersi la maglietta. Non aveva più vergogna a mostrare il seno cambiato dalla gravidanza. Anche se intuivo che in passato era stato più bello, lo trovavo attraente, piccolo e aggraziato.

Dopo aver fatto l'amore ha chiuso gli occhi e ha appoggiato un piede sul mio ginocchio, ho iniziato a massaggiarglielo.

Ogni tanto apriva gli occhi e mi sorrideva.

«A che pensi?» le ho chiesto.

«A molte cose.»

«Dimmene una.»

«Non mi va.»

«E tu a cosa pensi?» mi ha chiesto a occhi chiusi.

«Anche a me non va di dirtelo.»

Ha sorriso.

«Magari stiamo pensando alla stessa cosa» ha insistito.

«Non credo» ho risposto.

«A volte la magia della vita può sorprendere.»

«I denti dei castori non smettono mai di crescere, per questo devono continuamente rosicchiare, per consumarli e mantenere così una misura comoda.»

Siamo scoppiati a ridere. L'atmosfera era cambiata, eravamo usciti dal torpore in cui ci si trova dopo aver fatto l'amore. Eravamo a nostro agio, sembrava ci frequentassimo da tempo.

Sono andato in cucina, volevo farle assaggiare una cosa che tenevo sempre in frigo, acqua, limone e menta. Quando sono tornato con i bicchieri si stava guardando intorno.

«Da quanto tempo vivi in questa casa?»

«Quasi tre anni.»

«Mi piace.»

Avevo arredato il soggiorno con mobili anni Cinquanta, sul muro di fronte al divano c'era una vecchia mappa di Manhattan.

Su un piccolo comodino avevo sistemato un giradischi che non usavo mai, non avevo nemmeno un vinile.

«Tieni» le ho detto passandole il bicchiere.

L'ha assaggiata: «L'hai fatta tu?».

Ho annuito: «Me la preparava sempre mia nonna».

Con una mano teneva il bicchiere di limonata, con l'altra giocherellava con la collanina che aveva al collo. Anche se era settembre quel giorno faceva caldo e la sua pelle era leggermente lucida. Ho avuto la sensazione che fosse ancora più bella, c'era una luce speciale sul suo viso subito dopo che avevamo fatto l'amore.

«Hai detto a qualcuno che sei qui?» le ho chiesto.

«A un'amica.»

«Ti fidi?»

«Le dico tutto, credo sia la persona che mi conosce più di ogni altra. È la sorella che non ho mai avuto.»

Eravamo entrambi figli unici, forse anche questo ci faceva sentire vicini.

«Che dice?»

«Dice poco, soprattutto ascolta e non mi giudica.»

«Come si chiama?»

«Daniela.»

Ho pensato che mi sarebbe piaciuto avere un amico come Daniela, uno che non giudica.

«È sposata?»

«No, è più un tipo come te.»

Ero incuriosito.

«Perché? Che tipo sono?»

«Non è una che vuole mettere su famiglia.»

«Anche io ti sembro così?»

Qualcosa mi aveva toccato, e non capivo cosa fosse. Lei se n'è accorta e ha aggiunto: «Magari mi sbaglio».

Era vero, non volevo una famiglia e nemmeno stavo cercando una relazione, ma forse non mi andava di essere incasellato in una categoria.

Avevo sempre evitato le relazioni perché dopo un po' di tempo le vivevo come una limitazione alla mia libertà personale. Se per stare con una donna dicevo no a una pizza con amici, pensavo tutta la sera a quanto sarebbe stato divertente uscire con loro e a tutto quello che mi stavo perdendo.

In realtà anche il lavoro mi costringeva a delle rinunce, ho perso molte più pizze per riunioni dell'ultimo minuto, campagne da finire, ricerche, eppure non mi è mai pesato perché sapevo che queste mi avrebbero portato a realizzarmi. Rinunciare per riuscire bene nel lavoro era quasi eroico, rinunciare per un'altra persona era un sacrificio.

Mentre facevo queste riflessioni, Silvia ha iniziato ad accarezzarmi una gamba, forse si era accorta del mio piccolo fastidio.

«La prima volta che ti ho visto in gelateria, c'è stato un momento in cui ho smesso di ascoltarti perché immaginavo di fare l'amore con te. Guardavo le tue mani e desideravo sentirmele addosso.»

Ero convinto di essere l'unico dei due ad aver avuto quel desiderio. Come al solito non avevo capito niente.

«Davvero?»

«Sì. Non sai come la cosa mi abbia sorpreso, non mi era mai capitato in vita mia.»

L'ho guardata, indossava solo la maglietta adesso. Mi piaceva la forma del suo corpo, le gambe erano un continuo invito a essere toccate.

Avrei voluto dirle che era bellissima ma non l'ho fatto. Volevo sapere cosa diceva di me alla sua amica: «Cos'hai raccontato a Daniela?».

«Le ho detto di come ci siamo incontrati in gelateria e che sei un uomo interessante.»

«Un uomo interessante? "Uomo interessante" lo diresti a tua madre, a tuo cugino.»

«Le ho detto quello che ti ho detto prima.»

L'ho guardata senza dire nulla, aspettavo che lo ripetesse di nuovo.

Mi ha fissato dritto negli occhi: «Che mi sarei voluta spogliare e fare l'amore subito».

Le piaceva provocarmi e già ero di nuovo eccitato, ma volevo resistere e prolungare quel gioco tra noi.

«E lei cosa ti ha detto?» le ho chiesto mentre le massaggiavo una caviglia.

«Che finalmente qualcosa si stava risvegliando.»

Ho riso. Non posso negare che in quel momento mi sono sentito più sexy di Steve McQueen.

Mi ha guardato qualche secondo: «Hai mai avuto una storia lunga?».

«Due anni di fidanzamento più uno di convivenza.»
L'avevo sorpresa, non se l'aspettava.

«È stata l'unica volta che ho convissuto con una donna e non è andata molto bene.»

Non ero mai stato bravo nelle relazioni, negli anni ho capito che con il tempo le cose belle svaniscono e fioriscono le seccature, lentamente tutto si trasforma in una sorta di tirannia del quotidiano. Si resta legati l'uno all'altra come a un'abitudine, si porta avanti una decisione presa in passato quando tutto era diverso. Silvia aveva sorriso quando aveva sentito "tirannia del quotidiano".

Le ho raccontato che una sera, dopo cena, la mia ex mi aveva detto che non si sentiva amata, e che secondo lei non stavamo andando da nessuna parte. Stare con me era come stare al telefono con qualcuno che ti aveva messo in attesa. «Ecco, io con te vivo così. Non ho ancora capito se prima o poi qualcuno alzerà il telefono o se è caduta la linea e sto solo perdendo tempo.»

Quando poi ci eravamo lasciati io mi ero sentito sollevato, mentre lei non accettava la separazione. Per mesi ci sono state telefonate lunghissime in cui lei piangeva e cercava di farmi cambiare idea. Non c'è niente di meno attraente di una persona disperata: più le dicevo di no, più mi supplicava. Mi sono ripromesso di pensarci molto bene prima di ritrovarmi di nuovo in una relazione.

Quest'ultima cosa, non so perché, non l'ho detta a Silvia. Non c'era nessuna promessa di futuro tra noi, eppure non volevo che pensasse che ero come la sua amica, "il tipo che non vuole mettere su famiglia".

«Devi andare?» le ho chiesto.

«Sì, tra poco.»

«Niente lezioni oggi?»

«No, oggi ho suonato per me.»

Mi sono chiesto se avesse scelto di insegnare perché non aveva abbastanza talento.

«Ero una specie di bambina prodigio» mi ha risposto come se mi avesse letto nel pensiero.

«E poi cos'è successo?»

«Da quando avevo cinque anni ho dovuto studiare almeno quattro ore al giorno, ti puoi immaginare cosa è successo quando sono diventata adolescente.»

All'improvviso il suo sguardo si era fatto malinconico.

«Mi stavo perdendo tutto, le prime sigarette con le amiche, i concerti, le feste, il sano cazzeggio adolescenziale. Non mi sono mai sentita così sola ed esclusa da tutto.»

Ho sempre pensato che il talento liberasse. Invece, da come ne aveva parlato, sembrava che ti sottraesse alla vita e ti costringesse a convivere con la solitudine. Quella bambina mi ha fatto tenerezza.

Le ho baciato il piede.

«A cosa stai pensando?» mi ha chiesto.

Ho fatto una pausa e poi le ho detto: «Sento che tra di noi è facile essere sinceri».

«Promettimi una cosa.»

«Cosa?»

«Che non ci racconteremo mai bugie.»

«Perché dovremmo?»

«Perché dopo un po' che ci si frequenta diventa quasi necessario per andare avanti.»

L'ho guardata negli occhi. «Se poi a uno dei due non va più di vedersi lo dice e ci fermiamo lì.»

Mi ha sorriso e ha finito la limonata con un sorso. Quindi ha chiuso gli occhi per godersi il massaggio.

Sei

Era già più di un mese che ci vedevamo da me, le piante avevano perso quasi tutte le foglie e i racconti delle vacanze estive erano sbiaditi come l'abbronzatura.

Il nostro tempo insieme mi faceva stare bene e quella felicità continuava anche nella mia vita senza di lei, al lavoro, con gli amici, quando passeggiavo. Sentivo qualcosa di frizzante e acceso dentro di me, mi era esplosa una gran voglia di vivere, di fare cose nuove.

Di solito ci incontravamo verso l'ora di pranzo, quasi sempre appena entrava in casa mia finivamo per fare l'amore. Passavamo il resto del tempo a chiacchierare a letto.

Quel giorno aveva la testa appoggiata al mio petto, le accarezzavo una spalla, ogni tanto le spostavo i capelli dalla fronte e le baciavo la nuca. Cominciava a fare freddo, per la prima volta stavamo sotto il piumone. Dalla finestra sbucava il pino del giardino interno. La camera era molto silenziosa, escludendo il rumore del cassonetto del vetro. Ogni volta che sentivo il fracasso delle bottiglie in frantumi pensavo che sarebbe bastato appoggiarle sul fondo, invece di lasciarle precipitare nel vuoto.

Avevo messo della musica classica, lo facevo raramente e ogni volta mi ripromettevo di farlo più spesso.

«Questo è Bach» ha detto lei.

«Non so distinguere i compositori.»

«Bach è quello che nella musica classica ha inventato il colore. Prima era tutto in bianco e nero e poi arriva lui. Capisci?»

«No.»

È scoppiata a ridere.

«È come una cattedrale, una struttura con un equilibrio perfetto. Adesso ti è più chiaro?»

«Sono più confuso di prima. A me piace Mozart.»

«A chi non piace? Mozart è pop, non ha inventato niente di nuovo, ma nella semplicità ha scritto cose vibranti, piene di vita. Riesce a volare dove gli altri al massimo camminano.»

Non avevo mai incontrato nessuno che fosse in grado di farmi vedere la musica classica in modo così semplice e chiaro come stava facendo adesso lei.

«La prossima volta ti porto una selezione di pezzi che hanno fatto la storia della musica classica.»

«Sono anche ascoltabili?»

Ha sorriso.

Le ho detto: «Tutto questo imparare mi ha fatto venire fame, ci facciamo una pasta?».

Ci siamo alzati.

«Mi presti la tua camicia?»

Gliel'ho passata, se l'è infilata e siamo usciti dalla camera. Mentre preparavo, Silvia si è seduta sul piano della cucina. Da lì vedeva il balcone: «Perché non ci metti dei fiori? Li puoi guardare mentre mangi».

«Mi muore tutto.»

«Ci sono piante che non hanno bisogno di molte attenzioni» mi ha detto rimboccandosi le maniche.

Ho aperto il frigorifero e ho preso olive, carciofini, formaggi. Li ho sistemati su un piatto per un piccolo aperitivo.

«Hai lezione oggi?» le ho chiesto mentre le passavo un'oliva.

«Alle quattro.»

«Fai lezione a casa?»

«Oggi no.»

«Io mi bevo una birra, se preferisci ho anche del vino.»

«Bevo un goccio della tua.»

«Scordatelo» le ho risposto. Ho riaperto il frigorifero, ne ho presa una sola e gliel'ho passata.

Mi piaceva vederla seduta sulla mia cucina, guardare le sue gambe nude sbucare dalla camicia.

«Buona» mi ha detto dopo un sorso, «di solito le trovo amare», e mi ha passato la bottiglia. Poi ha aggiunto: «Non mi è mai piaciuto bere, nemmeno da ragazzina. Adesso la sera metto a letto mio figlio e dopo sul divano mi piace sorseggiare un bicchiere di vino. Mi sembra di farmi un regalo, altrimenti ho la sensazione di aver passato la giornata a occuparmi solo degli altri».

All'improvviso mi era venuta voglia di avvicinarmi, sentire la sua pelle addosso.

Le ho messo le mani sui fianchi e le ho dato un bacio, le sue labbra erano fredde e sapevano di birra.

Quindi sono andato a prendere i maccheroni e ho salato l'acqua.

«È tutto strano per me» mi ha detto.

«Cosa?»

«Il fatto di essere qui e di stare bene.»

Mi sono voltato e le ho fatto un sorriso.

«Qualche anno fa, davo lezione a una bella donna sulla quarantina, sposata con due figli. Un giorno mi ha confessato di avere un amante. Mi raccontava tutto, dove si incontravano, cosa si dicevano, cosa facevano. Non l'ho mai giudicata ma ho sempre pensato che io non ne sarei mai stata capace. Non per una questione morale, semplicemente non ne sarei stata capace. E adesso eccomi qua.»

L'ho guardata.

Sapevo che per lei non ero stato una scelta facile.

Più volte mi sono chiesto se avrei dovuto lasciar perdere, se stavo facendo una cosa sbagliata. Sapevo che nella vita ognuno è responsabile di sé e che Silvia era una donna adulta, ma forse mi sarei dovuto fare dei riguardi. Nelle donne sposate spesso nascono dubbi e insicurezze perché il marito le guarda con gli occhi dell'abitudine, mentre io l'avevo riempita di complimenti, di novità. Cedere alla vanità è molto facile. Forse me ne stavo approfittando. Era una domanda che mi facevo onestamente, ma senza trovare una risposta.

«A che pensi?» mi ha chiesto.

«A noi.»

Mi ha sorriso.

«Ti senti in colpa?» le ho domandato. Era la prima volta che facevamo entrare suo marito nei nostri discorsi.

«Certo» mi ha risposto, e mi è sembrato di scorgere in lei un lieve pudore, come se si vergognasse.

«Prima di tutto perché lui non se lo merita.»

«A volte nella vita le cose capitano, sono più forti di noi.»

«È vero, però c'è sempre un momento, all'inizio, in cui ci si può fermare. La responsabilità nasce prima dell'azione, è nelle fantasie che comincia, nei sogni, nei desideri. Quello che viviamo adesso è stato prima nella mia testa.»

«Se la metti così allora è tutto sulle tue spalle, non lasci spazio ad altro, come fai?»

«Per assurdo è come se quando sono qui non fossi io. Sono fuori dalla mia vita, in un luogo sospeso lontano da tutto» ha detto con un sorriso disarmato. «È un gran casino.»

Mi sono avvicinato e le ho dato un altro bacio, poi è scesa dal tavolo. «Vado un attimo in bagno.»

Non riuscivo a capire che tipo di rapporto avesse con suo marito. Non aveva mai parlato male di lui, forse erano arrivati al punto in cui la passione e l'amore vengono sotterrati dalle faccende giornaliere.

Ricordavo bene cosa significa stare in una relazione, essere in quotidiano contatto con una persona, i malintesi, le tensioni, a volte perfino i risentimenti. Erano bastati pochi mesi di convivenza perché io e la mia ex ci ritrovassimo a essere infastiditi l'uno dall'altra. Lei non sopportava il mio modo caotico di cucinare, mi rimproverava di sporcare troppi cucchiai e padelle per fare un sugo. Una volta abbiamo litigato perché, dopo che le avevo mostrato una foto dal telefono, me l'aveva preso di mano per vederla meglio e poi con un dito aveva iniziato a scorrere tutte le foto precedenti. Non avevo nulla da nascondere, ma la trovavo invadente. A distanza di tempo queste mi sembrano tutte piccolezze, ma la convivenza ha il potere di amplificarle.

Quando Silvia è tornata dal bagno mi ha chiesto: «Hai cambiato musica?».

«Sì, è *Never Play* di Emily & the Woods.»

«Bellissima voce.»

«Pasta al dente?»

«Perfetto.»

Ho scolato e ho condito con olio e parmigiano.

Abbiamo mangiato così, io appoggiato al tavolo e lei sul piano della cucina.

«Non è un grande pranzo» le ho detto.

«Adoro la pasta in bianco, e poi mangiare senza dovermi alzare ogni dieci secondi per star dietro a mio figlio è già una vacanza.»

Abbiamo riso.

È stato in quel momento che mi ha detto una frase che non mi aspettavo di sentire. Stavo prendendo un'altra birra, avevo ancora la testa nel frigorifero, quando mi ha confessato: «Ti ricordi in libreria? Mi piaceva da morire come mi guardavi».

«E come ti guardavo?»

«Come non mi guardava nessuno da anni. Mi hai fatto sentire una donna diversa, e quella donna mi è piaciuta. Mi sentivo affascinante.»

Credevo di aver capito cosa intendesse dire. Negli occhi delle persone che amiamo e che dicono di amarci, spesso col tempo ci si vede più piccoli e meno attraenti. Quando passi anni insieme a una persona finisci per vederne ogni parte, anche quella più buia. Negli occhi di uno sconosciuto, invece, hai ancora la possibilità di disegnarti e raccontarti per come ti piacerebbe essere. Capita che ce lo dimentichiamo, incontriamo uno sguardo che ci riconsegna quell'immagine e ce ne innamoriamo subito.

Essere amati a volte non basta, vogliamo sentirci desiderati.

«E tu come guardavi la tua ex?» mi ha chiesto interrompendo il flusso dei miei pensieri.

«Non era tanto per come la guardavo, è che a un certo punto è sparita la tenerezza. Non avevo più il desiderio di prenderle la mano o di accarezzarla, di darle un bacio all'improvviso senza un motivo evidente. Mi riusciva più difficile accarezzarla che farci l'amore.»

«Il desiderio sessuale spesso va e viene, la tenerezza invece è difficile che torni» ha detto.

Avevo sempre dato per scontato che non facesse più l'amore con suo marito. Dopo quelle parole non ne ero più così sicuro.

«Comunque non sono qui per il sesso» ha tenuto a puntualizzare.

«Questo un po' mi ferisce» le ho detto ridendo.

«Con te sono tornata a provare delle cose che non mi ricordavo nemmeno di poter provare. Tu hai riacceso una parte di me che pensavo di aver perso per sempre.»

Le sue parole mi hanno lusingato e allo stesso tempo spaventato. Se si fosse innamorata di me sarebbe stata la rovina di tutto.

È rimasta in silenzio qualche secondo.

«Che c'è?» le ho chiesto.

Aveva un'espressione che non avevo mai visto, come se si vergognasse di quello che stava per dirmi: «Ieri sera ho pensato a una cosa ma non so se chiedertela».

«Dimmi.»

«Tra due settimane vado a Madrid per una notte. A parte un paio d'ore nel pomeriggio, il resto del tempo sono libera. Vuoi venire con me?»

Non me l'aspettavo. Andare a Madrid insieme era uscire dal limite dei nostri incontri.

«Che devi fare a Madrid?» ho chiesto, volevo prendere tempo per decidere cosa rispondere, non ero pronto.

«Abbiamo venduto un appartamento, devo andare a firmare delle carte.»

«Che giorno è della settimana?»

«Mercoledì. Giovedì sera siamo a casa.»

«Devo guardare l'agenda in ufficio. Te lo dico domani.»

«Comunque era solo un'idea» ha detto accorgendosi della mia reazione tiepida.

«Se posso vengo volentieri» ho subito aggiunto. Non volevo pensasse che non mi faceva piacere stare con lei.

«Non ti preoccupare, si è offerta di accompagnarmi la sorella di mio marito.»

«Mi stai dicendo che siamo in tre? Io, te e la sorella di tuo marito?»

Ha sorriso. «Le ho già detto di no, è di una pesantezza che la metà basta.»

«È così insopportabile?»

«È estremamente buona e generosa.»

«Non mi sembra tanto tremendo.»

«Anche la bontà e la generosità hanno una misura, e Silvana l'ha superata di gran lunga.»

Ho riso, trovavo divertente il modo in cui lo aveva detto, ma capivo anche cosa intendeva, le persone troppo buone sono sempre spinte da un disperato bisogno di essere amate.

«I buoni non piacciono a nessuno» ho risposto con tono ironico.

Quando ha finito di mangiare ha appoggiato il piatto nel lavandino, e io mi sono avvicinato per sciacquare il mio. Ero dietro di lei e le ho baciato il collo. Pensavo sarebbe stato un bacio veloce, invece non riuscivo a staccarmi dal profumo della sua pelle e dei suoi capelli.

«Cos'è questa storia che hai cambiato idea e non mi vuoi più portare a Madrid?» le ho sussurrato all'orecchio.

Non mi ha risposto.

L'acqua del rubinetto continuava a scorrere, lei aveva lasciato cadere il piatto e si era aggrappata al lavandino. Le ho afferrato i fianchi e l'ho presa da dietro, abbiamo fatto l'amore in questo modo per un po', poi volevo guardarla negli occhi, allora l'ho girata, l'ho sollevata e l'ho spinta contro il tavolo. Potevo vedere il piacere sul suo viso. Mi eccitava da morire. È sempre stato così, il suo desiderio aumentava il mio. Dovevo stare attento, non potevo rischiare di lasciarle segni, graffi o morsi che potessero vedersi.

Si è lasciata cadere sul tavolo, le ho sbottonato la camicia per vederla tutta intera. Ha chiuso gli occhi fino all'istante prima di raggiungere il piacere, subito dopo io ho raggiunto il mio.

Ci siamo abbracciati. Teneva ancora gli occhi chiusi, sembrava volersi godere tutto profondamente.

Sulla porta di casa le ho chiesto: «Quando torni?».

«Presto.»

Ci siamo guardati in silenzio.

«Fammi sapere per Madrid» ha aggiunto prima di prendere le scale.

Quando sono tornato in studio ho chiesto alla mia assistente come fosse l'agenda delle settimane seguenti. A parte un paio di riunioni importanti, ero libero, sarei potuto andare a Madrid.

Ho preso il telefono e le ho mandato un messaggio: "Ho un cliente importante, sarei venuto volentieri. Peccato".

Sette

Quando ho incontrato Silvia frequentavo Giovanna, una ragazza senza troppe complicazioni. Giovanna è semplice come un uomo, non è in competizione con le altre donne, si beve una birra seduta sul marciapiede di fronte al bar senza problemi. Uscire con lei è come uscire con un tuo amico, con però il vantaggio che lei è carina e le piace fare l'amore. La conoscevo da molto tempo, nessun legame vero, nessuna esclusiva, nessun "ti amo", "mi manchi", "scusa". Avevamo un rapporto da sala d'attesa, si chiacchiera e ci si fa compagnia finché qualcuno non sente chiamare il proprio nome. Chi è nominato si alza, saluta e va dove deve andare, senza nessun rancore o risentimento. Stavamo bene insieme ma, anche se non ce lo siamo mai detti, sapevamo che non eravamo fatti l'una per l'altro.

Anche la relazione con Silvia non era ufficiale, solo che con Giovanna uscivo a cena, andavo al cinema, alle feste e a volte dormivamo insieme, con Silvia no.

Quando io e Silvia abbiamo iniziato a frequentarci, ho smesso di vedere Giovanna.

Non sono mai stato con due donne nello stesso momento, preferisco dedicarmi a una per volta. Più faccio l'amore con la stessa e più mi piace farlo. L'intimità raggiunta col tempo mi permette di notare dettagli minimi che all'inizio sfuggono, sfumature, particolari. Adoro la passione e la voracità delle prime volte, ma preferisco assaporare ogni piccola cosa. Amo arrivare al punto in cui tutto è nuovo e al tempo stesso familiare, dove ogni azione diventa intensa.

Con Silvia dalla prima volta ho sperato che non fosse per una notte soltanto. Era intelligente, ironica, attraente, una combinazione difficile da trovare.

Un giorno pranzavo da solo nel bar sotto l'ufficio. Anche se era metà novembre, il cielo era limpido, alto, tirava un bel vento. Ero arrivato più tardi del solito, il bar era semivuoto e non era rimasto molto da mangiare. Avevo preso un'insalata di farro e un petto di pollo. A un certo punto è entrata una mamma con un bambino, credo avessero la stessa età di Silvia e suo figlio. Li osservavo, e ho pensato che non l'avevo mai vista alle prese con suo figlio. C'era un mondo intorno a lei che non conoscevo e che era molto lontano da noi.

Quando Silvia mi parlava dell'essere madre, era molto sincera. Mi raccontava quanto fosse potente quell'amore, ma non aveva problemi a dire anche quanto fosse difficile. Suo figlio le aveva rubato tutto il tempo, e lei aveva dovuto mettere da parte le cose che amava fare. Le rinunce a volte le pesavano. Le era capitato di essere a casa con lui e sentirsi sola, avrebbe voluto parlare con degli adulti ma non c'era tempo o possibilità. Desiderare del tempo per sé la faceva sentire egoista e le creava una frustrazione che non aveva mai provato prima. Forse era per quella vita rubata che aveva deciso di venire da me, per prendersi qualcosa, come il bicchiere di vino la sera sul divano.

Prima avevo un'idea completamente diversa della maternità, avevo sempre sentito mamme entusiaste: "Basta che ti sorridano e ti passa tutto". Forse c'era anche dell'altro, ma nessuno me ne aveva mai parlato.

Un giorno l'avevo vista strana. «Che hai?» le avevo chiesto.

«Una cosa stupida.»

«Cosa?»

«Non mi va di parlarne. Quando sono qui non voglio pensare a nulla.»

Avevo insistito e lei aveva guardato a lungo fuori dalla finestra prima di parlare.

«Questa mattina ho alzato la voce con mio figlio. È tutto il giorno che mi sento in colpa. Tra l'altro è capitato al parco davanti ad altre persone, mi hanno guardata come se fossi un mostro.»

Non mi era sembrata una cosa così grave.

«Prima che nascesse, mi ero ripromessa che non avrei mai alzato la voce, che gli avrei sempre spiegato tutto, che gli avrei parlato con calma. Invece ogni tanto perdo la pazienza. Esce una parte di me che non conoscevo e di cui mi vergogno anche con mio marito.»

Ho pensato che fosse naturale perdere la pazienza con i figli. Quando mi era capitato di andare a trovare amici con bambini, mi ero sempre chiesto come facessero a vivere così tutti i giorni. Dopo mezz'ora io non ne potevo già più.

"Con una vita così impazzirei" mi ero detto.

Quando ho finito di mangiare, ho avuto voglia di sentirla. Le ho mandato un messaggio e abbiamo iniziato uno scambio serrato, cose stupide, divertenti. Poi l'ho chiamata.

«Mi piace il nostro rapporto proibito e clandestino.»

«Non avrei mai pensato in tutta la vita di potermi trovare in questa situazione. Credevo che dopo la prima volta non mi avresti più cercata.»

Non ho avuto il coraggio di dirle che anch'io avevo pensato che non l'avrei più richiamata. Mi sono chiesto quanto contasse nel mio desiderio per lei il fatto che fosse sposata, che fosse la donna di un altro.

Quand'ero ragazzino, con gli amici qualche volta rubavamo chewing gum e liquirizie dal tabaccaio. Non scorderò mai l'eccitazione che provavo con le tasche piene di refurtiva, anche il loro sapore sembrava più forte. Forse Luca aveva ragione, era la fede al dito ad agganciarmi.

Silvia era l'unica donna sposata con cui ero stato, a lei non l'avevo mai detto perché mi sembrava di cattivo gusto e poi sapevo che non mi avrebbe creduto.

Il fatto che fossimo al telefono mi ha dato il coraggio di chiederle una cosa che mi incuriosiva da tempo: «Cosa ti ha fatto pensare che tuo marito fosse l'uomo da sposare?».

Non se l'aspettava, è rimasta in silenzio a pensare, poi mi ha detto: «Ero una ragazza irrequieta, tormentata. Non mi volevo legare, scappavo sempre da tutti. Lui ha saputo prendere in mano i miei sbalzi d'umore. Mi ha dato una sicurezza che non sarei mai stata in grado di trovare da sola».

Ho capito che aveva ceduto alla stabilità che lui

le offriva. A un certo punto tutti desideriamo una vita da adulti.

«Sai cosa facevo da bambina per sentirmi al sicuro? Con un lenzuolo e delle sedie mi costruivo una tana e mi ci nascondevo. Mi faceva sentire protetta. A volte ho voglia di farlo ancora.»

«Anche io lo facevo, quando andavo a trovare mia nonna.» Quel ricordo mi aveva regalato una sensazione di calore.

C'è stato un silenzio, ognuno era nella propria tana d'infanzia.

«Quando ci vediamo?» le ho chiesto.

«Presto, spero.»

«Ho voglia di fare l'amore con te. Appena entri in casa ti sbrano.»

Si è messa a ridere.

Otto

Quando ci siamo visti non l'ho sbranata.

È entrata, l'ho aiutata a togliersi il cappotto e l'ho presa per mano, poi l'ho portata in soggiorno.

«Tu sei matto» mi ha detto. Eravamo in piedi di fronte alla mia creazione, una tana fatta con sedie e lenzuola. Sotto, avevo messo i cuscini del letto, del divano e il piumone. In tutta la stanza c'erano delle candele accese.

«È la cosa più dolce che qualcuno abbia mai fatto per me.»

Mi ha guardato e mi ha dato un bacio, era commossa. Avevo fatto colpo.

Fuori pioveva e noi eravamo al sicuro nella tana. Ci siamo spogliati e lentamente siamo finiti a fare l'amore. Dopo, siamo rimasti avvinghiati l'uno addosso all'altra.

«Quali sono i tuoi piccoli sogni?» mi ha chiesto.

Non capivo esattamente cosa intendesse dire.

«I sogni a portata di mano, quelli che si possono realizzare.»

«Per esempio?»

«Un viaggio, fare un corso di cucina, pattinare sul ghiaccio.»

Fissavo il lenzuolo sopra di me come se fosse una gigantesca pagina bianca in grado di suggerirmi qualcosa. «Affittare una cabrio e guidare sulle strade che si vedono nei film americani, quelle dove non c'è niente, solo una lingua d'asfalto.»

«Dammi qualche dettaglio.»

«Cosa vuoi sapere?»

«Tutto. Per esempio, di che colore è l'auto? Quando me lo hai detto ho visto un'auto rossa.»

«La mia è gialla.»

«Sei solo in questo viaggio?»

«Se ti dico di sì ti offendi?»

«Mi piacerebbe fare un giretto sulla tua auto gialla, ma non voglio essere invadente.»

«Dài, monta. So anche che musica ascolterei.»

«Fammi sentire qualcosa.»

Quando giocavamo così, vivevo una sorta di leggerezza che mi faceva tornare bambino. Eravamo adulti, ma senza le seccature della vita adulta, senza le responsabilità e gli obblighi. Riuscivamo a provare emozioni profonde, senza mai diventare troppo seri.

Ho allungato un braccio e dal telefono ho fatto partire le note di *Better Things* dei Massive Attack.

Siamo rimasti abbracciati anche quando la musica è finita.

Nel silenzio e nel calore dell'abbraccio mi ha chiesto a bruciapelo: «Ti vedi con altre?».

Non me l'aspettavo, stavo ancora guidando sulle strade della California.

«Sei gelosa?»

«Non sono nella posizione per esserlo, non sei il mio uomo.»

«Ti piacerebbe che lo fossi?»

«A volte mi piace pensarlo» ha detto con voce rilassata.

«Allora un giorno vengo sotto casa tua mentre fai lezione, do un paio di colpi di clacson, e partiamo su due piedi per la California.»

«Meglio sotto il mio studio.»

«Quale studio?», di nuovo mi ha sbalzato fuori dalla cabrio, mi ricordavo che mi aveva detto di insegnare a casa.

«Ho un piccolo studio dove ricevo alcuni allievi.»

Non capivo se mi avesse mentito lei o avessi frainteso io. Se fosse stata davvero una bugia perché me l'aveva detta? Forse aveva paura che mi potessi presentare a sorpresa e che qualcuno ci vedesse insieme, magari un suo allievo.

«Sei proprio tutta strana, mi hai tenuto nascosto che hai uno studio.»

«Non ti ho nascosto nulla, non c'è mai stata occasione di dirtelo.»

Non era vero, ma non ho ribattuto.

Un silenzio era sceso su di noi.

È uscita da sotto la tenda e si è infilata il mio maglione. Dalla cucina mi ha chiesto se volevo un tè.

C'era qualcosa in lei che mi sfuggiva, a volte scappava dalle situazioni, diventava evasiva.

L'ho raggiunta in cucina, era di schiena accanto al fornello, aveva acceso solo la luce della cappa, fuori era quasi buio, la pioggia batteva sui vetri. Con indosso solo il mio maglione e un paio di calzettoni di lana era sexy, accogliente. Sono rimasto sulla porta a osservarla mentre versava l'acqua bollente nella teiera.

«Quelle le uso solo per andare in montagna. Dove le hai trovate?» ho detto indicando le calze.

«In un cassetto. Ti va bene il tè verde?»

«Sì.»

Ho preso dalla credenza un vassoio con le girelle alla cannella che avevo comprato la mattina in pasticceria.

«E queste?» ha chiesto mentre gliene passavo una.

«Vuoi farmi innamorare?»

Ci siamo guardati un istante, mi è sembrato di vederle un lampo di furbizia negli occhi.

Non avevo ancora finito il tè quando mi ha preso la tazza dalle mani, l'ha appoggiata sul tavolo e mi ha portato a letto.

Mi ha baciato, ho sentito sulle sue labbra il sapore di cannella. Con la bocca è scesa lungo il mio corpo. Abbiamo fatto di nuovo l'amore. Era tutto così fisico, gli odori, i corpi, le mani. Ci stavamo sempre addosso.

All'improvviso un tuono ha fatto tremare i vetri.

In silenzio, sotto il suono della pioggia, ci siamo stretti l'uno all'altra. Le ho dato un bacio sulla testa.

«Come è possibile che hai sempre i capelli puliti e profumati?»

«Perché me li lavo.»

«Sì, ma sembra sempre che li hai appena lavati. Anche con le gambe, non ho mai sentito un pelo pungermi.»

Ha riso.

«Ti depili prima di venire qua?»

Ha aspettato qualche secondo prima di rispondere. «Se mi si vedono le gambe e so che non faremo l'amore perché ci incontriamo fuori, me le depilo solo davanti. Se invece vengo qui, mi faccio anche i polpacci.»

Sono stato zitto, non capivo cosa stesse dicendo.

«Quando facciamo l'amore sono i polpacci a sfregare contro di te, se ho la ricrescita la senti subito.»

L'ho guardata incredulo. «Veramente?»

«Certo, perché depilarsi tutta la gamba se non serve?»

«Non ho mai conosciuto una donna che facesse una cosa del genere.»

È scoppiata a ridere. «Sto scherzando. Ma secondo te mi depilo a pezzi?»

«Sai che ci avevo creduto?»

«A volte vorrei entrare nella testa di un uomo per riposare un po'.»

Questa volta ho riso io.

Siamo rimasti abbracciati sotto il piumone.

Ci siamo rilassati così tanto che ci siamo addormentati.

Quando mi sono svegliato e ho guardato l'ora, era tardi.

«Devi andare.»

Si è alzata e si è rivestita, la osservavo e guardarla mi dava piacere. L'ho accompagnata all'ingresso.

«Prendi il mio ombrello.»

Mentre stava per uscire si è voltata: «Dimenticavo una cosa».

Ha aperto la borsa e ha preso una carta, era il suo biglietto da visita con l'indirizzo dello studio.

Nove

Il giorno dopo ero in ufficio e mi è arrivato un messaggio:

"Sto andando a un funerale e in più oggi non ci vediamo. Direi che è un grande giorno."

Mi ha strappato un sorriso.

"Come a un funerale?"

"Non conosco nemmeno il morto."

"Che ci fai al funerale di una persona che non conosci?"

"Ho accompagnato la sorella di mio marito."

"Grande Silvana."

"Non mi tratta da cognata, mi tratta da migliore amica."

"Prima o poi lo diventerai, credo nel potere di Silvana."

"Temo tu abbia ragione. Vado, è arrivata. Mi manchi."

Lo scambio di messaggi mi aveva fatto venire voglia di vederla. Le ho scritto: "Se ti liberi, tra un paio d'ore possiamo vederci da me".

"Da te non ce la faccio, posso passare in libreria per un caffè."

"Perfetto."

Sono rimasto qualche secondo con il telefono in mano. L'avrei vista volentieri in libreria, ma quello che desideravo di più era fare l'amore con lei, più che scambiare quattro chiacchiere davanti a un caffè. Ho pensato che avrei potuto dirglielo, ma mi sono trattenuto perché a volte le donne fanno piccoli test per metterti alla prova. Forse voleva sapere se avrei accettato di vederla anche senza la prospettiva di finire in un letto. Ho sorriso.

«Cosa ti fa sorridere come un ebete? Puoi anche non rispondere, tanto lo so già. Ti vedi ancora con quella sposata?» ha detto Luca entrando nel mio ufficio.

Quando mi chiedeva di Silvia rispondevo sempre in maniera vaga, dicevo poco. Ero geloso di quello che accadeva con lei e non amavo condividerlo con nessuno, tanto meno con lui, che avrebbe di sicuro fatto commenti sguaiati.

«È arrivato il capo?» gli ho chiesto per non lasciare spazio ad altri discorsi.

«Dovrebbe essere qui a momenti» ha risposto, e si è guardato in giro come se dovesse farmi una confidenza.

«Ieri ti sei perso una grande serata.»

C'era stata una cena decisa all'ultimo momento e io non c'ero andato. Non avevo voglia di stare lì seduto ad ascoltare il capo: avrebbe monopolizzato l'attenzione e tutti avremmo dovuto ridere a comando alle sue battute.

«Devo dirti che era in forma, ci siamo sbragati dalle risate.»

«Non mi sembra una novità.»

«Stavolta è stato divertente davvero, non abbiamo riso per finta.»

Il capo amava essere al centro dell'attenzione, aveva sempre una piccola corte di persone intorno che accettavano i suoi inviti la sera, qualcuno addirittura lo frequentava nei fine settimana.

Luca mi ha guardato in silenzio. «Ma perché non vi chiarite?»

«Tanto non ascolta.»

«Non hai mai veramente provato a parlargli, sei solo ostile con lui.»

«Non è colpa mia.»

Non era d'accordo, glielo leggevo in faccia.

«Sente che non gli riconosci il suo ruolo.»

«Ti ricordi com'era quando siamo arrivati qui? Aveva un tale carisma che mi sarei buttato nel fuoco per lui. Invece così come è adesso è solo frustrante e triste.»

Luca continuava a controllare che nessuno ci sentisse. «Vedi, tu sbagli perché ne fai un fatto personale.»

Cominciavo ad accendermi perché la questione mi toccava da vicino. Luca lo sapeva, ma cercava ogni volta di farmi cambiare atteggiamento. Alla mia età il capo era già al comando da anni, poteva fare le cose a modo suo, era nella posizione in cui si trovava adesso perché quello che stava sopra di lui se ne era andato e gli aveva lasciato il timone. Io stavo ancora qui ad aspettare, come tutti quelli della mia generazione.

«È una questione personale» ho detto. «Non ti rompe il cazzo che hai quarant'anni e c'è ancora uno che ti dice cosa devi fare? Stiamo invecchiando senza mai toccare il volante, si sono presi tutto e non ci hanno lasciato niente. Non ci restano molti anni per fare il nostro, lui ha avuto una vita davanti.»

«A volte i suoi consigli sono anche utili.»

Luca era sincero, in quella situazione sapeva mantenere un equilibrio invidiabile. Io invece non riuscivo ad accettare lo stato delle cose, ero mangiato dalla rabbia.

«Il tuo atteggiamento non serve a nessuno» ha continuato, sempre in modo pacato, «e comunque non ti rende la vita migliore. Guarda che ha capito quello che pensi veramente di lui. Cosa ti costa ogni tanto fare un sorriso, dargli un po' di corda, fargli un complimento?»

Ha dato un'occhiata veloce fuori dalla porta. «Eccolo qui, lupus in favola.»

«In fabula.»

«Eh?»

Ho lasciato perdere.

Il capo stava camminando lungo il corridoio centrale, aveva una giacca di pelle, sneakers ai piedi e una felpa col cappuccio.

Luca l'ha fermato con un cenno della mano: «Oscar, stavo dicendo a Gabriele che si è perso una gran serata».

Non sono riuscito a trattenermi: «Infatti sono stato il primo ad arrivare in ufficio. Voi stavate ancora dormendo». Ero riuscito a essere antipatico e secchione in un colpo solo.

Al capo si è rizzato il pelo, mi ha guardato con occhi di sfida: «Stamattina io in piedi alle sei e mezzo senza sveglia. Arrivo da un'ora di pre-pugilistica, ero così carico che il sacco quasi lo tiravo giù dalla catena. Ho fatto più di cento piegamenti».

Anche se ce l'avevo lì davanti, ho alzato gli occhi al cielo. È stato più forte di me, non ce l'ho fatta. Quando ho incontrato il suo sguardo, è stato chiaro che aveva capito quanto lo trovassi ridicolo.

«Luca, più tardi ti aspetto da me, rivediamo quella strategia» ha detto prima di uscire e senza nemmeno guardarmi.

Quando siamo rimasti soli nella stanza Luca mi ha detto: «Non potevi risparmiarti quella faccia da cazzo? Cosa ti costava?», e ha scosso la testa.

Sapevo che aveva ragione e teneva al mio posto in agenzia, forse più di me.

«Non ci ho pensato, mi è uscito così» gli ho detto, senza crederci neppure io.

«Non è vero, ti piace tormentarlo.»

Sono sbottato: «Ma non vedi come si veste? Con che moto va in giro? Invece di essere un sessantenne in forma pensa di essere un ventenne di una certa età».

«A te che cazzo te ne frega? Fai il tuo lavoro, raggiungi gli obiettivi e fagli un sorriso. Non mi sembra così difficile.»

Ho sbuffato, non aveva tutti i torti, ma non riuscivo ad accettare la situazione.

«Come procede il tuo mondo animale?» mi ha chiesto cambiando discorso.

«Bene, ho trovato un paio di idee.»

Pure lui, come Silvia, mi prendeva in giro per questa storia degli animali, anche se sapeva che ne sarebbe uscito qualcosa di forte.

«Se hai bisogno di aiuto sono molto preparato sul mondo animale. Lo sai che il clitoride di una elefantessa è lungo dai venti ai quaranta centimetri? E che l'orgasmo del maiale può durare anche mezz'ora?»

«Grazie per le informazioni, sicuramente le userò. Vedo già le slide durante la presentazione.»

«Certo, ho anche il payoff: un maiale che gode così non può che fare un ottimo salame.»

«Bravo. Lavoraci, sei sulla strada giusta.»

Siamo scoppiati a ridere.

Mentre usciva gli ho tirato dietro un paio di forbici.

«Ma sei scemo? Mi potevi infilzare.»

«Esagerato, ha le punte arrotondate.»

Dieci

Mentre la aspettavo in libreria ero seduto accanto a due ragazze. Parlavano del weekend appena passato.

«Ho visto su Instagram che sei stata al Plastic con Paolo.»

«Sì.»

«Ho visto che vi siete divertiti un sacco.»

«Anche io ho visto le foto della festa di Francesca. Ti ho messo il like.»

«Sì, ho visto.»

Hanno continuato così per tutto il tempo, non facevano altro che confermarsi quello che avevano già visto, non potevano nemmeno raccontarsi quello che avevano fatto. Ho pensato a quanto ero fortunato a essere vecchio, potevo farmi ancora i cazzi miei.

Quando Silvia è entrata l'ho riconosciuta subito, il primo pensiero è stato che il vestito nero la rendeva ancora più sexy.

«Come è andata?»

«Si può dire che un funerale è andato bene? Diciamo che non è successo nulla di traumatico.»

Ho sorriso: «Silvana ha pianto molto?».

«La defunta era una donna che viveva nel suo palazzo. Si saranno parlate due volte.»

«Nessuno è buono come Silvana.»

Mi sono alzato per prendere il caffè. Mentre aspettavo al banco, mi sono voltato e i nostri sguardi si sono incrociati, mi ha sorriso da lontano.

Ho pensato all'imbarazzo dei nostri primi incontri. Ora conoscevo molte più cose di lei.

Mi sono seduto con i due caffè, aveva un'espressione triste.

«Stai bene?»

«Il funerale mi ha ricordato quello di mio padre.»

Anche io ho pensato ai funerali dei miei genitori, erano morti entrambi una decina di anni prima.

Quando l'avevo raccontato a Silvia durante uno dei nostri primi incontri mi aveva guardato con la stessa compassione che avevo visto mille volte negli occhi delle persone. Non mi piaceva essere commiserato, per questo evitavo di parlarne.

Le ho chiesto: «Com'era tuo padre?».

«Un uomo di cui ci si poteva innamorare.»

«Eravate molto legati?»

«L'ho visto poco, quando ero piccola era sempre via per lavoro.»

Mi ha parlato a lungo di lui, mi ha raccontato che il lavoro era la sua priorità, e fuggiva dalle questioni pratiche, per lui erano solo seccature. Da lui aveva ereditato l'amore per la musica.

«Non deve essere facile essere genitori» le ho detto alla fine. «Forse da bambini più di tutto conta sentirsi amati.»

Mi ha sorriso.

«E tua madre?» le ho chiesto. Mi aveva già detto che viveva in campagna e non si vedevano spesso. Nemmeno la nascita di suo figlio era bastata a riavvicinarle.

Volevo capire da quale famiglia arrivasse, che tipo di amore avesse conosciuto quando era una bambina.

«Non era una donna molto affettuosa, qualcosa tra di noi è andato storto fin dall'inizio. Quando era giovane accompagnava sempre mio padre nei viaggi di lavoro. Poi sono arrivata io e le cose sono cambiate, è dovuta rimanere a casa con me. Sono cresciuta con la sensazione che la mia presenza la infastidisse.»

«Addirittura? Mi sembra impossibile che una madre possa provare una cosa del genere per una figlia.»

L'ho osservata, l'aver parlato in modo così immediato di cose personali e intime l'aveva resa ancora più dolce ai miei occhi. Avrei voluto che fossimo da me per poterla abbracciare e starci addosso come facevamo sempre dopo aver fatto l'amore.

«Sei sicura che non possiamo fare un salto da me?», le parole mi erano uscite di bocca senza che nemmeno me ne accorgessi.

«Devo andare a prendere mio figlio all'asilo.»

«Non può andare qualcuno al posto tuo?»

«Oggi non ho la babysitter. All'ultimo ha avuto un impegno.»

«Non puoi trovarne un'altra?»

Mi ha guardato e ha fatto un mezzo sorriso condiscendente, come si fa con qualcuno che non è in grado di capire.

Poi mi ha detto: «Vado un attimo in bagno, e questa volta se mi segui non ti dirò di no».

In un istante la mia testa si è riempita di imma-gini, avrei chiuso la porta e avremmo fatto l'amore. Lo avevamo già fatto nel bagno di casa mia, lei appoggiata al lavandino. Era uno dei ricordi più belli che avessi delle nostre volte insieme, guardare la sua schiena, i muscoli, le curve e vedere nello specchio il viso riflesso mentre godeva, si mordeva le labbra e mi guardava dritta negli occhi.

Mentre fantasticavo ha aggiunto: «Ma non farlo».

«Mi hai appena detto che non mi diresti di no.»

«Non voglio che ogni volta che ci vediamo ci debba essere per forza qualcosa di fisico.»

Ha parlato tra un sorriso e una risata: «Mi piace sapere che mi desideri ma non puoi avermi». Non sembrava lei, non era mai stata così spavalda.

Appena è tornata le ho chiesto: «Quando ci vediamo?».

«Domani. La settimana prossima sono sempre impegnata e quella dopo vado via qualche giorno.»

«Vai via qualche giorno?»

«È Natale, non so se te ne sei accorto», e ha indicato il grande albero addobbato all'ingresso della libreria.

«Un motivo in più per odiare questa festa.»

Da quando erano morti i miei il Natale non faceva altro che ricordarmi i Natali passati insieme, il pranzo cucinato da mia madre e la tombola del pomeriggio.

Negli ultimi anni ero stato da mia zia in Liguria, ma per tutto il tempo non avevo fatto altro che guardare l'orologio e desiderare di prendere l'auto e tornare a casa.

Ora che c'era Silvia mi sarei sentito ancora più solo,

avrei immaginato suo figlio che apre i regali, la tavola apparecchiata, le lucine del presepe.

Ho cercato di scacciare quella brutta sensazione, Natale sarebbe passato, come gli altri anni, bastava non pensarci troppo.

Undici

Il sabato prima di Natale l'aspettavo a casa. Mi aveva detto che sarebbe passata per le dieci, prima di fare gli ultimi acquisti.

Quando è entrata, si è tolta il cappotto e la sciarpa, aveva il naso e le guance arrossate e le dita ghiacciate. Era una giornata molto fredda.

Le ho preso le mani tra le mie e gliele ho scaldate.

«Vieni a letto che sei tutta congelata.»

«Arrivo subito, aspettami di là.»

Ero sotto il piumone, quando è sbucata sulla porta.

«Ti piace?» mi ha chiesto. Indossava un reggiseno nero e delle mutande dello stesso colore, semi-trasparenti.

«Li ho comprati per te.»

Ero sorpreso.

Si muoveva in maniera divertente, con un leggero imbarazzo sul viso. Sembrava le fosse costato trovare il coraggio di lasciarsi andare in quel modo. Era piacevole vederla giocare.

«Vieni qui.»

Si è avvicinata e si è seduta sul bordo del letto, aveva un'espressione felice.

Le ho dato un bacio lunghissimo.

Guardandola da vicino mi sembrava avesse il viso arrossato, come se si vergognasse. L'ho baciata di nuovo, mentre con una mano le accarezzavo le gambe, erano ancora fredde.

«Vieni qui che ti riscaldi.»

Si è infilata sotto il piumone in mutande e reggiseno.

«Togliti tutto, voglio sentire solo la tua pelle.»

Silvia era attraente, e nuda lo era ancora di più. Alcune donne sono valorizzate dai vestiti, lei era valorizzata dalla sua nudità.

Ci siamo avvinghiati finché non le ho scaldato tutto il corpo. Ho affondato il naso nel suo collo, aveva un odore magnetico. Ero già pronto per fare l'amore. Ho desiderato scendere, infilarmi in fondo al piumone per baciarla tutta, ma lei è stata più veloce. Ho sentito le sue labbra sul mio petto, sulla pancia, sulle cosce. Dopo qualche secondo ero dentro la sua bocca. Ero così eccitato che ho dovuto stare attento a non finire subito.

È salita sopra di me e abbiamo fatto l'amore.

Era la prima volta che lo facevamo al mattino. Tutto era diverso, la luce che entrava dalla finestra, i rumori della casa.

Quando abbiamo finito ci siamo girati su un fianco e siamo rimasti immobili a guardarci. Le tenevo una mano.

«Stamattina ti ho svegliato?»

«Ieri ho fatto tardi, sono uscito con degli amici. Ho avuto la conferma che sto invecchiando, quando ho ordinato l'acqua il cameriere mi ha chiesto se la volevo a temperatura ambiente.»

«Che significa?»

«È il segno che mi ha visto vecchio. Non me l'aveva mai chiesto nessuno prima di ieri.»

È scoppiata a ridere: «Chi ti ha detto questa cavolata? E allora per una donna qual è il segno che sta invecchiando?».

«Io di una donna guardo le mani o il collo. Ma non funziona sempre.»

«Se vuoi sapere l'età di una donna devi guardarle le ginocchia.»

«Perché?»

«Non lo so, me l'ha detto Daniela.» Poi con un sorriso stampato sulle labbra ha chiuso gli occhi. Lentamente ho sentito la presa della sua mano allentarsi nella mia, si era addormentata.

Ho avuto la curiosità di spostare il piumino e guardarle le ginocchia ma non l'ho fatto, non volevo svegliarla.

Silvia aveva la capacità di essere molte cose, anche mentre la osservavo dormire i suoi tratti erano diversi. In quel momento sembrava una bambina stanca.

Ho desiderato che rimanesse tutto il giorno a casa con me. Ho immaginato di fare colazione insieme, guardare un film di Natale pieno di cani Labrador, bambini felici, alberi addobbati.

Ho pensato che le avrei fatto il budino al cioccolato con gli amaretti, era una specialità di mia madre, lo faceva sempre quando c'era una festa.

«Mi sono addormentata» ha detto quando, qualche minuto dopo, ha aperto gli occhi.

«È stata una delle cose più belle che siano mai successe tra noi.»

«Cosa?»

«Vederti così», le ho accarezzato il viso. «Ti va di guardare un film?» le ho chiesto.

«Vorrei, ma non c'è tempo.»

«Ti faccio vedere una cosa che dura poco.»

L'ho incuriosita.

Ho preso il computer e su YouTube ho cercato *Destino*, di Dalí e Walt Disney, durava meno di dieci minuti.

Mi ha commosso più del solito, forse perché mentre lo guardavamo il viso di Silvia era appoggiato al mio petto. Quando è finito aveva gli occhi lucidi: «È bellissimo» mi ha detto.

«È vero, anche se non ho mai capito cosa vuol dire.»

«L'unica cosa da capire è che non c'è niente da capire.»

Forse aveva ragione.

«Ora devo proprio andare. Indovina chi mi aspetta in piazza Duomo?»

«Il papa?»

«Silvana» mi ha detto mentre si alzava a raccogliere le sue cose.

«Ma se è buona tutto l'anno a Natale cosa succede? Esplode?»

«Niente, rimane uguale. Mi ha chiesto se la accompagno a scegliere i regali per mio figlio perché ha paura di sbagliare. Credo non abbia voglia di andare per negozi da sola.»

«Quindi quella buona oggi sei tu.»

Ha riso ed è andata a prendere l'astuccio dei trucchi, poi in bagno. Lo faceva sempre dopo i nostri incontri. Prima di rivederla sbucare in camera avrei sentito il rumore della lampo dell'astuccio chiudersi. Il nostro segreto rimaneva lì dentro.

Una volta le avevo detto: «La vita di ognuno di noi è piena di astucci che si chiudono segretamente».

«Sei un poeta mancato» mi aveva risposto con una carezza, prendendomi in giro.

Quando è tornata da me si è infilata mutande e reggiseno, poi è andata a prendere i suoi vestiti in soggiorno.

«Perché non resti a letto?» mi ha chiesto. «Non sai quanto darei per starmene qui ancora un po' sotto le coperte con te.»

«Tutta colpa di Silvana.»

Si è seduta sul bordo del materasso per infilarsi le scarpe, ho cominciato ad accarezzarle la schiena. Si è voltata verso di me e ci siamo guardati in silenzio.

«Come stai?» le ho chiesto.

Ci ha impiegato qualche secondo prima di rispondere: «Lo so che sto facendo una cosa sbagliata, che sono egoista, ma in questo momento non riesco a rinunciare a te».

Ci siamo dati un bacio, poi si è alzata e l'ho accompagnata alla porta.

«Ci vorranno almeno due settimane prima di rivederci.»

«Lo so» ho risposto con un'espressione triste.

Ho aspettato che sparisse e sono rientrato.

Sul tavolo della cucina c'era un pacchetto con un fiocco dorato. Mi sono commosso e mi sono sentito stupido allo stesso tempo, io non le avevo regalato niente.

L'ho chiamata al telefono: «Sono una persona orrenda, non ti ho fatto niente».

«Mi basta il sorriso stampato in faccia che ho ogni volta che esco da casa tua. Non sai che regalo è.»

Ci siamo salutati, e mi sono preparato una moka.

In attesa che il caffè salisse, guardavo il pacchetto. Avrei dovuto aspettare fino a Natale, alla fine l'ho aperto subito. Era una guida di itinerari in auto attraverso l'America occidentale.

Erano anni che a Natale qualcuno non mi faceva un regalo vero, pensato e scelto per me.

Le ho scritto un messaggio: "La mia vita è più bella da quando ci sei tu".

Dodici

L'amore è una faccenda strana. Avevo sempre pensato che quando ami una persona sai come si comporta anche quando non è con te. Il sentimento è una forma di conoscenza dell'altro. Mi sono chiesto come facesse suo marito a non essersi accorto della mia presenza nella vita di Silvia. Avevo il sospetto che lo sapesse, ma che facesse finta di nulla perché non aveva idea di come affrontare la situazione.

"Io l'avrei già capito" ho pensato. La conoscevo da molto meno tempo, eppure riuscivo a vedere molto di lei. Capivo se era di buon umore, se aveva litigato con qualcuno, se era nervosa o se era agitata. Riuscivo a distinguere quando era stanca da quando era annoiata.

Una sera ho cercato suo marito su Facebook, ero curioso di vederlo.

Facevamo l'amore con la stessa donna e non sapevo che faccia avesse. Avevo bisogno di dargli un volto. Ho immaginato che venisse da me per affrontarmi, voleva uno scontro fisico e io dovevo difendermi. Mi sono chiesto chi dei due avrebbe avuto la meglio. Dopo aver visto le foto non ho avuto dubbi, gli sarei stato superiore, ma la rabbia rende più forti e lui avrebbe potuto essere molto arrabbiato. Aveva la faccia e il fisico dell'uomo più normale tra i normali, non c'era niente che spiccasse in lui. I vestiti, il sorriso, come si metteva in posa, era tutto ordinario. Mi sono chiesto come una donna così particolare come Silvia potesse stare con lui, mi sono detto che forse era rassicurante, e questo le bastava.

Sul profilo di lui c'erano anche foto di loro due insieme, mi sembravano strani, come se le foto fossero finte, posate. Mi pareva tutta una grande bugia.

Un giorno eravamo da me, la cucina era in disordine, c'erano sacchetti appesi a ogni maniglia e un sacchetto pieno di sacchetti.

«La differenziata mi agita. Ho smesso di comprare il tonno in scatola sott'olio» le ho detto.

«E con il tè come fai? C'è il quadratino di carta, la graffetta di ferro, il cordoncino di cotone e il tè nella bustina.»

Abbiamo riso. Quindi ha preso il sacchetto con i sacchetti e li ha rovesciati sul tavolo: «Se li pieghi occupano meno spazio. Posso?», e ha indicato la nuvola di plastica.

«Accomodati.»

«Mi rilassa.»

Mentre preparavo il caffè le ho chiesto: «Hai mai pensato a come reagirebbe tuo marito se ci scoprisse?».

«Sì, certo.»

«Credi che ti lascerebbe?»

Con una mano ha steso un sacchetto sul tavolo e ha cominciato a piegarlo: «Credo di sì. È difficile perdonare un tradimento». Parlava con un filo di tristezza. «Soprattutto per un uomo.»

«Non è più così, ormai ci siamo emancipati.»

«Tutti si dichiarano moderni, aperti, comprensivi, ma esiste ancora una doppia morale. In più io sono anche madre.»

«È un'aggravante?»

«La peggiore delle aggravanti.» Mi ha mostrato il primo sacchetto perfettamente piegato. «Non male, che ti sembra?»

«Perfetto. È così piccolo che posso tenerne mille sotto il lavandino.»

Mentre ha cominciato con un altro le ho detto: «È la vecchia storia del lucchetto e delle chiavi».

Mi ha guardato senza capire.

«Non la conosci? Una chiave che apre tanti lucchetti è una superchiave, un lucchetto che si fa aprire da tutte le chiavi non è un gran lucchetto.»

È scoppiata a ridere. «Non l'ho mai sentita ma è un'immagine perfetta.»

Avevo fatto una battuta, ma sapevo che Silvia aveva ragione, esistevano due morali diverse e lei era schiacciata sotto il peso di una delle due.

Era diventata silenziosa.

«A che pensi? A tuo marito?»

«Sì.»

«Sei preoccupata?»

«No, pensavo che io non l'ho lasciato quando ho scoperto che mi tradiva.»

La mia faccia non è stata in grado di trattenere la sorpresa, non riuscivo a immaginare come l'uomo che avevo visto nelle foto potesse tradire la moglie.

«Per un periodo ha avuto un'altra.»

Mi aveva sempre parlato di lui come di una persona premurosa, tranquilla, innamorata di lei e del figlio. Non riuscivo a far combaciare le due immagini.

«Come lo hai scoperto?»

«A una cena di lavoro, era una collega.»

«L'hai capito da come si parlavano?»

«Da come *non* si parlavano e si evitavano. L'ho fissata tutta sera, sapevo che mi sarebbe bastato uno sguardo per capire. Quando i nostri occhi si sono incrociati, in quel momento il sospetto è diventato certezza.»

«Da uno sguardo? Potresti esserti sbagliata.»

«Nessuno sbaglio. Averne la conferma definitiva è stato un attimo, ho guardato mio marito.»

«Magari è stata una cosa di una volta.»

«No, so che è andata avanti dei mesi. Mio figlio era piccolo in quel periodo e non ero molto lucida.»

«Quanto aveva?»

«Un anno.»

«Come ha reagito quando glielo hai detto?»

«Non gliel'ho mai detto.»

«Hai finto di non saperlo?», ero ancora più sorpreso.

Ha annuito.

«Perché?», volevo sapere.

«Ti è mai capitato nella vita di immaginarti in una situazione e pensare di sapere come ti comporteresti, poi ti ci trovi dentro e fai tutto l'opposto? Ecco, questa è una di quelle volte.»

Siamo rimasti in silenzio, ognuno vagava dentro i propri pensieri.

«Come hai fatto a tacere?»

«Non lo so. Non riuscivo nemmeno a capire se mi

faceva più soffrire il fatto che mi avesse tradito o il fatto che mi avesse mentito, che avesse un segreto con un'altra donna.»

Mi sono avvicinato e le ho accarezzato il viso. Ha chiuso gli occhi.

«Mi sono resa conto che mio marito non mi conosceva e io non conoscevo lui. È stata la cosa più terribile da accettare.»

Ho sentito l'istinto di avvicinarmi e abbracciarla, poi è salito il caffè e ho spento il gas. «Io sarei scoppiato, a non dire niente.»

Si è seduta in un angolo della cucina. «Ho iniziato a pensare a cosa sarebbe cambiato nella nostra vita se glielo avessi detto. Non lo avrei lasciato comunque. Non me la sarei mai sentita di andarmene con un bambino piccolo.»

La guardavo mentre parlava e non mi sembrava possibile che qualcuno potesse reagire così a un tradimento.

«So che sembra assurdo, ma la loro relazione ci ha fatto bene. Lui è diventato più gentile, più attento, più disponibile. Abbiamo anche ricominciato a fare l'amore. È come se mi avesse scelta un'altra volta.»

Mi sono irrigidito, ho sentito un fastidio alla bocca dello stomaco.

«Pensavo che tra di voi non ci fosse più desiderio.»

«L'arrivo di nostro figlio ha fatto saltare in aria tutto. Siamo stati travolti da un caos a cui non eravamo preparati, all'improvviso eravamo stanchissimi, spaesati. È stato difficile mantenere una stabilità. Per questo la sua bugia mi ha infastidito, perché in fondo l'avrei perdonato, vista la situazione in cui eravamo. Sai che il maggior numero di tradimenti si compie nei primi tre anni di vita del figlio?»

Avevo una visione più romantica della famiglia.

Silvia ha proseguito: «In quel periodo non ero molto disponibile sessualmente, non mi sentivo per nulla attraente. Ero stanca morta, mi vedevo brutta, perdevo latte dal seno, avevo i fianchi larghi, la pancia molle. Un disastro. Il sesso era l'ultimo dei miei pensieri. Pensavo solo all'organizzazione della vita quotidiana e a correre dietro a mio figlio. Ancora adesso mio marito mi dice che a volte lo tratto come un dipendente. E ha ragione, quando sono a casa voglio tenere tutto sotto controllo».

«Se tornassi indietro lo rifaresti?»

«Cosa?»

«Tacere.»

«Certo.»

Ho versato il caffè nelle tazzine e gliene ho passata una. Non riuscivo proprio a immaginarmi come qualcuno potesse sapere una cosa del genere sul proprio marito e continuare a viverci tranquillamente. Quando avevo più o meno trent'anni, avevo scoperto che una ragazza con cui stavo mi aveva tradito. Non ero innamorato ma la cosa mi aveva ferito enormemente. Non riuscivo nemmeno a capire come mai l'avessi presa così male.

Di quel tradimento volevo sapere tutto, ero stato invaso da una curiosità malata. Volevo i particolari, chi aveva approcciato chi, chi aveva fatto il primo passo, quante volte si erano visti prima di finire a letto, quante volte avevano fatto l'amore. Volevo sapere quando, dove, in che modo.

Avevo bisogno di dettagli per sostituire con la realtà le immagini che mi ossessionavano e volevo che lei, ripercorrendo con me quello che aveva fatto, si sentisse tremendamente in colpa.

«Hai mai pensato di lasciarlo?»

«Mille volte. Credo sia una cosa normale, ci pensano tutti. Pensare di lasciarsi fa parte dello stare insieme», e ha assaggiato il caffè.

«Prima che nascesse Lorenzo ci siamo lasciati un sacco di volte.»

Forse anche Silvia e suo marito facevano parte delle coppie che stanno insieme perché hanno un figlio.

Ha aggiunto: «Non fraintendermi, sto per dirti una cosa strana: non stiamo insieme perché abbiamo un figlio, ma è per lui se stiamo insieme».

Non avevo capito fino in fondo che cosa intendesse, ma di una cosa ero sicuro, io al suo posto avrei già fatto le valigie. L'idea di dover vivere con qualcuno con cui non voglio più stare solo per il bene di un figlio mi avrebbe fatto svegliare ogni mattina con il mal di pancia. Mi sarei sentito incastrato.

Forse questo era anche uno dei motivi per cui non cercavo una famiglia. In una situazione del genere non sarei sopravvissuto due giorni.

Silvia invece l'aveva appena confessato con una serenità disarmante. Mentre facevo quelle riflessioni ha detto: «Quando litighi e hai un figlio non puoi scappare, sei costretto a restare lì. Nel tempo in cui resti il fastidio e la rabbia ti passano, hai lo spazio per ragionare a freddo, mediare, accettare le cose e alla fine il rapporto ha superato un'altra prova, è diventato più profondo, più resistente».

Ora avevo capito cosa intendesse, ma non mi aveva convinto del tutto.

Si è alzata per sciacquare la tazzina.

«Perché me lo hai detto solo adesso?» le ho chiesto.

Prima di rispondermi ha aspettato qualche secondo. «Non c'è mai stata l'occasione.»

Avevo sempre pensato che avesse deciso di vedermi perché, come ero convinto, nella vita una persona sola non può bastare e ognuno di noi non può bastare a un altro. Si arriva sempre a un punto in cui si deve decidere se accontentarsi o volere di più, e credevo che Silvia si fosse stancata di accontentarsi.

In quel momento, invece, ho pensato che fosse lì con me per pareggiare il conto: «Quindi, occhio per occhio, dente per dente. Per questo sei qui».

Mi ha guardato dritto negli occhi: «Sono qui perché mi piaci».

Siamo rimasti in silenzio e nella cucina senza rumori riflettevo, non riuscivo a farmi un'idea chiara della loro relazione e nemmeno di Silvia. Chi era realmente?

Mentre svuotavo la moka le ho detto: «Lo ami ancora?».

Stava infilando tutti i sacchetti piegati in una busta più grande. Sono rimasto immobile, aspettavo una risposta. Mi ha guardato.

«Vuoi sapere se amo mio marito?» mi ha domandato. «Me lo sono chiesta mille volte, soprattutto da quando sei entrato nella mia vita. Una donna che ama suo marito non lo tradisce, l'ho sempre pensato anch'io. Ma adesso che ci sono dentro non ho una risposta.»

Non sapevo se fossi più sollevato o spaventato.

«Non lo amo più pur amandolo ancora tantissimo.»

Non capivo, ma non le ho chiesto niente.

Tredici

Stavo aspettando che Luca uscisse dal bagno per andare in pausa pranzo insieme.

«Ma perché vieni qui e non in quello sul nostro piano? Qui ci vengono tutti, fai sempre la coda ed è meno pulito.»

«Perché nel cesso del nostro piano, di fianco al lavandino, c'è una presa della corrente che mi sembra una faccetta.»

L'ho guardato, non ci potevo credere: «Ma che cazzo stai dicendo?».

«Gabo, facci caso, quando sei seduto sul cesso sembra che ti fissi e io non riesco a cagare sotto tensione.»

Sono scoppiato a ridere.

«Dopo pranzo andiamo a vederla insieme» ha aggiunto.

«Ma secondo te ti accompagno al cesso a vedere le faccette? E comunque dopo pranzo devo passare da casa.»

Con un mezzo sorriso Luca aveva già intuito tutto.

«Non sta andando avanti troppo 'sta storia?»

L'ho guardato per capire cosa volesse dirmi.

«Uscire con le donne sposate è pericoloso, rischi di farti male.»

«Non ti preoccupare, ho visto com'è suo marito, non è un peso massimo.»

«Il pericolo non è il marito, è lei. Le sposate confondono il sesso con i sentimenti. Se le scopi bene e a lungo, poi s'innamorano.»

Mi sono chiesto se potesse succedere anche a Silvia.

«Come sei greve. E poi con lei non c'è pericolo.»

Lei era diversa, non c'era nessuna categoria in cui avrei potuto metterla.

«Eh certo, lei non è come le altre» mi ha risposto ironico.

«Comunque non esiste nessuna faccetta in bagno, si chiama pareidolia.»

«Cos'è? Una disfunzione? Una malattia?»

«Ma no, capita a tutti, è una cosa del cervello, delle forme familiari si sovrappongono a delle immagini reali.»

«E quando si vedono culi ovunque come si chiama? C'è un nome anche per quello?»

Mi sfotteva sempre e la cosa mi divertiva.

«Sei un coglione.»

A tavola abbiamo parlato della campagna che stava cercando di agganciare per l'agenzia. Luca era uno dei migliori account, se fosse riuscito a portare a casa quel cliente sarebbe stato un bel colpo.

Dopo pranzo ci siamo salutati e sono andato a casa.

«Cos'hai?» le ho chiesto appena è entrata.

«Sono un po' stanca. Lorenzo ha l'influenza e da due notti non dormo bene.»

«Vieni qui» le ho detto prendendola per una mano e tirandola a me. «Fatti abbracciare.»

Siamo rimasti in silenzio in quell'abbraccio.

«Ho anche litigato con mio marito.»

Non ho indagato, non volevo che le sue faccende si intromettessero nel nostro pomeriggio.

«Siediti sul divano, torno subito.»

Sono andato in bagno, ho riempito la vasca e ho acceso qualche candela. Poi sono tornato da lei e l'ho presa di nuovo per mano.

Quando siamo stati in bagno ha sorriso. «Anche le candele?»

Sembrava che le fosse passato tutto.

Ha iniziato a spogliarsi mentre sono andato in cucina a prendere una bottiglia di vino bianco e due bicchieri. Quando sono tornato era nascosta sotto la schiuma.

Ho sorriso. «Bagno caldo, vino fresco», poi le ho passato un bicchiere.

«Prima di entrare, non hai qualcosa con cui possa legarmi i capelli?»

«Non credo, però cerco, magari una mia ex ne ha lasciato qualcuno», e ho aperto l'ultimo cassetto accanto al lavandino. Ho trovato un elastico nero. «Ecco, prova con questo», gliel'ho passato.

Lei l'ha guardato e non l'ha nemmeno voluto toccare. «No grazie, preferisco un asciugamano dietro la testa.»

Sembrava che anche l'elastico l'avesse infastidita. Ho preso due asciugamani da usare come cuscini. Ho appoggiato la bottiglia a terra e sono entrato con lei. Con qualche aggiustamento abbiamo trovato una posizione comoda.

Siamo rimasti in silenzio un paio di secondi, lei ha chiuso gli occhi. Pensavo che l'acqua calda stesse facendo il suo effetto, invece ha attaccato a parlare: «Sono giorni che mi sembra che la vita sia ingiusta con me, che mio marito sia ingiusto con me e per assurdo che anche mio figlio sia ingiusto con me. Vorrei che qualcuno si accorgesse che pure io ho delle esigenze. Nessuno mi ringrazia per quello che faccio, nessuno nota i miei sacrifici, danno tutto per scontato. Mi capita di svegliarmi e nella mia testa sto già litigando. Ma non voglio parlarne adesso, voglio godermi il bagno».

Era la prima volta che la sentivo lamentarsi e che la vedevo così cupa. Non sapevo cosa dire, allora ho preso da terra il telefono e ho messo della musica, è partita *Arms of a Woman* di Amos Lee.

«Sto ancora aspettando la playlist di musica classica che mi avevi promesso.»

Teneva gli occhi chiusi, persa nei suoi pensieri, non mi aveva neppure sentito.

«A volte credo che la mia vita sia tutta un errore, decisioni e scelte prese contro me stessa.»

Quel giorno era lapidaria e severa, quando parlava di sé. «Non sono soddisfatta della mia vita e nemmeno di chi sono.»

«Conosci qualcuno che possa dire di esserlo?» le ho chiesto nel tentativo di allontanarla dai cattivi pensieri.

Immersi nell'acqua calda e profumata, le ho raccontato che avevo ascoltato un programma radiofonico in cui lo speaker diceva che ognuno di noi può prendere in mano il proprio destino e farlo sterzare.

Durante il programma alcune persone avevano chiamato per raccontare la loro storia, avevano lasciato tutto e cambiato vita, erano felici.

«Solo al pensiero sono già stravolta» mi ha risposto. «Ma chi ce l'ha tutta quella forza?»

Poi ha chiuso gli occhi e ha aggiunto che, invece di avventurarsi in qualcosa di nuovo, era meglio rimanere nella vita che si aveva e ritagliarsi dei piccoli piaceri. «Mi sembra la soluzione migliore.»

Mi sono domandato se anch'io fossi uno di quei piccoli piaceri.

«Quando dici che la tua vita è tutta un errore a cosa ti riferisci?» le ho chiesto.

«Non so esattamente in cosa ho sbagliato. So solo che avrei dovuto fare più cose, avere meno paura. E comunque sarei stata lo stesso insoddisfatta.»

Era in preda a qualcosa che non le dava tregua, nemmeno il bagno caldo sembrava funzionare. Ha continuato: «È più una questione di atteggiamento. Credo di essere insoddisfatta a prescindere da quello che faccio. È come se nella testa debba sempre accogliere due alternative opposte tra loro, continuare a suonare, smettere, sposarmi, non sposarmi, fare un figlio, non farlo. Sono sicura che, se come te non avessi una famiglia, sarei qui a chiedermi come sarebbe stato averne una».

Ecco, di nuovo con la storia della famiglia. Non capivo se nelle sue parole ci fosse una sottile provocazione nei miei confronti, se mi dava addosso per scaricare il fastidio che aveva dentro. Forse se ne era accorta, perché con un tono di voce più dolce mi ha chiesto: «Tu cosa cambieresti della tua vita?».

Fino a quel momento avevo cercato di non dare

corda al suo malumore, ora dovevo rispondere. Ho cercato di farlo in modo equilibrato.

«Mi impegnerei di più nel fare carriera.»

«Mi sembri già molto impegnato.»

«Non parlo del lavoro in sé. Fare carriera richiede anche altro, intelligenza, astuzia, strategie. Significa fare pubbliche relazioni, andare a cene, feste, incontri. Tutte cose che non ho mai amato.»

Credevo di aver aggirato l'ostacolo, quando mi ha detto: «Sai che non ti vedo nel lavoro che fai?».

«In che senso?»

«Che non mi sembra la tua cosa.»

Mi sono risentito: «Guarda che sono molto bravo».

«Non ho dubbi, anzi, si capisce benissimo che lo sei.»

«E allora? Cosa volevi dire?»

«Secondo me non è la tua cosa, anche se la sai fare bene.»

Stava chiaramente tentando di trascinarmi nel vortice del suo malessere. Ha cercato di aggiustare il tiro:

«Mi sembra che il tuo lavoro sia stato un'occasione che hai colto, più che una scelta. Ti ha permesso di stare meglio della tua famiglia e questo ti è bastato. Avresti potuto fare qualsiasi altra cosa con lo stesso entusiasmo.»

Aveva fatto un'analisi perfetta, ma al momento sentivo solo un gran fastidio. Dovevo difendermi, ho tagliato corto: «Il mio lavoro mi piace».

Per la prima volta ho avuto l'impressione che Silvia mi stesse giudicando. Non mi colpiva tanto quello che mi diceva, quanto il fatto che lo facesse con l'intento di ferirmi.

Nei mesi aveva perso un po' della timidezza, dell'incertezza e del pudore che avevo visto in lei e che mi avevano conquistato.

«E a una famiglia tutta tua non ci pensi mai? Non sei stanco di stare solo?»

Dovevo fermarla.

«E tu non sei stanca di tornare a casa e non essere mai sola? Non sei stanca di non avere mai tempo per te?»

«Certo, a volte è addirittura frustrante», e poi è tornata all'attacco: «Cos'è che non va nelle relazioni?».

«Niente, semplicemente non mi piacciono. Non voglio svegliarmi una mattina e litigare nella mia testa mentre preparo la colazione a qualcuno.»

Sapevo di essere stato sleale, non si usa mai una confessione contro la persona che te l'ha fatta.

Stavo cercando di capire perché si comportasse così, forse aveva ragione Luca, stava cominciando a provare qualcosa di profondo per me. Mi pungolava ma in realtà mi stava chiedendo di più. Voleva che mi prendessi la responsabilità di noi e mi decidessi a fare un passo avanti.

Ha continuato sulla stessa linea: «Si capisce che per te le relazioni sono solo seccature. Ma ti sbagli».

Ho sentito una vampata al viso.

"Alla fine siete tutte uguali" mi sono detto senza aprire bocca. Per la prima volta ho avuto il desiderio di mostrarle che ero più forte di lei, anche a costo di ferirla.

Sono rimasto un secondo in silenzio, poi guardandola dritto negli occhi ho detto: «Sono tutte belle parole, ma alla fine la verità è diversa. Tu sei qui con me e sei sposata con un altro».

La sua espressione è cambiata in un istante, avevo superato il limite.

«Mi dispiace» le ho detto un attimo dopo. Ero sincero.

Mi ha guardato senza parlare, ha chiuso gli occhi e ha cercato di rilassarsi. Io ho fatto lo stesso ma non ci siamo riusciti. Avevo esagerato.

Ha appoggiato il bicchiere sul bordo della vasca.

«Hai ragione» ha detto con tono distaccato. Si è alzata ed è uscita dall'acqua. «È tardi, devo andare. Grazie per il bagno e per il vino.»

Ha preso il mio accappatoio e ha cercato di indossarlo, si muoveva in modo impacciato, non riusciva a infilare le braccia nelle maniche.

Sono uscito anch'io dalla vasca, mi sentivo un idiota, non potevo credere di averle risposto così.

Si era già rivestita, era pronta per uscire.

«Non andartene così.»

«È tardi.»

Ho capito che l'unica cosa da fare era lasciarla andare. Non l'ho nemmeno accompagnata alla porta. Mi sono asciugato e rivestito. Ho tolto il tappo della vasca e l'acqua è scesa nello scarico in pochi minuti. Sul fondo è rimasto un ammasso di schiuma bianca e smontata.

L'incanto era finito.

Quattordici

Non avevamo mai litigato. Non riuscivo nemmeno a capire se quello che c'era stato tra noi fosse stato un vero litigio o fosse più una tensione, ma era bastato per interrompere i contatti. Non ci sentivamo da una settimana.

Con la mia ex, in una situazione di quel tipo, sapevo come comportarmi, bastava che le chiedessi scusa con il tono giusto, e dopo essermi zerbinato per bene lei mi diceva: "È passata, anche io ho sbagliato a risponderti così", poi facevamo l'amore e tutto si aggiustava.

Con Silvia non c'era un protocollo. Il nostro rapporto era destinato a finire prima o poi, lo sapevamo entrambi, e forse quel momento era arrivato.

Forse si era aperta una crepa che non poteva più essere riparata, l'incantesimo si era rotto, stavamo diventando reali.

Il punto è che mi mancava, mi mancava da morire e non pensavo di potermi sentire così. Le sere a letto mi sembrava di avere la sua voce nella mia testa. Non me l'aspettavo, non pensavo di essere tanto coinvolto.

Più che aver voglia di rivederla ne avevo bisogno, e la cosa mi ha spaventato. Non capivo come fosse potuto succedere. Un secondo prima pensavo di avere tutto sotto controllo, il secondo dopo ho capito di esserne totalmente preso.

Dovevo ridimensionarla, darle meno importanza. Mi concentravo sui suoi difetti per convincermi che era meglio lasciar perdere.

Qualche mese prima eravamo a letto e le era squillato il telefono. L'aveva chiamata suo marito per raccontarle una cosa di lavoro. Senza dire nulla era andata in cucina a parlare.

Adesso mi ripetevo che non poteva piacermi una donna che faceva quel tipo di cose, fingeva, ingannava, tradiva.

Alla fine nemmeno quello mi ha aiutato. Silvia aveva qualcosa che mi attraeva e che era più forte della ragione.

Dopo una settimana ho deciso di dirle la verità: volevo rivederla.

Sono andato al suo studio, ho lasciato una rosa e un biglietto sotto il tergicristallo della sua auto: "Sono un idiota. Mi manchi".

Sono rimasto nascosto ad aspettare, volevo vedere la sua reazione. Ero agitato come un ragazzino.

Quando l'ho vista arrivare, il mio cuore ha cominciato a battere forte. Non la vedevo da qualche giorno e mi sembrava già più bella di come la ricordavo.

Ha letto il biglietto e ha sorriso.

Era tutto quello che avevo bisogno di sapere.

Camminavo soddisfatto con il petto gonfio di gioia, appena sono salito sul tram è squillato il telefono.

«Anche tu mi manchi.»

Il cuore mi esplodeva, ero felice come non lo ero mai stato, nemmeno quando stavamo insieme.

«Sei in ufficio?»

«Sono in tram, sto tornando a casa.»

Le porte si sono aperte e sono sceso per sentire meglio.

«Ci vediamo?» le ho chiesto.

«Sì.»

«Quando? Domani?», non potevo aspettare.

«Per domani posso organizzarmi per la sera», anche lei voleva vedermi.

«Perfetto.»

«Hai da fare adesso?» mi ha chiesto.

«Sto passeggiando.»

«Mi fai compagnia al telefono mentre sono in macchina?»

È stata dolcissima, anche la voce era diversa. Le sue difese erano cadute, forse aveva capito qualcosa ed era cambiata.

Ci siamo salutati prima che entrassi in ascensore. Mi sono visto allo specchio, avevo la faccia di un uomo innamorato.

Sono entrato in casa e ho messo la musica a tutto volume, cantavo, mi muovevo accennando passi di danza. Ero di buon umore, un'energia nuova mi aveva invaso. Volevo bene a tutti. Anche se eravamo oltre l'orario d'ufficio, avevo voglia di vedere Luca e l'ho chiamato.

«Ti va una birra stasera? Marisa ti dà la libera uscita?»

«Stasera esco con Oscar, c'è anche il responsabile della comunicazione di Azzolini. Dobbiamo portare a casa la campagna dell'anno prossimo. Dài, vieni a darci rinforzi.»

Azzolini era un grosso produttore di salumi del Veneto che esportava in tutto il mondo. Aveva bisogno di rinnovare l'immagine di un suo prodotto di punta, il cacciatorino.

In un qualsiasi altro momento non avrei impiegato un secondo a dire di no, ma quella sera era diverso: «Va bene, dove siete?».

Dopo un silenzio, Luca mi ha chiesto: «Sei serio? Stai bene? È successo qualcosa?».

«Per una volta seguo i tuoi consigli» ho detto con tono ironico.

«Mi rendi un uomo felice.»

«Piuttosto, sei sicuro che posso venire anch'io?»

«Non rompere i coglioni, Oscar lo sa che quando sei in forma sei imbattibile.»

Mi ha dato l'indirizzo, era un ristorante in zona Brera dove il capo portava i clienti importanti, facevano un riso al salto indimenticabile.

Quando sono entrato erano già tutti seduti. Non sapevo come Oscar aveva preso la notizia che sarei andato anch'io, mi sentivo nervoso, mi sono ripromesso che avrei riso alle sue battute e avrei lasciato andare ogni provocazione. La felicità di rivedere Silvia mi rendeva immune, come un supereroe.

Una volta arrivato al tavolo, Oscar si è alzato in piedi: «Ecco qui uno dei nostri fuoriclasse», e mi ha dato una pacca sulla spalla. Non era sarcastico e mi ha lasciato senza parole, chissà se lo pensava veramente.

L'uomo di Azzolini era di Verona, come mio padre. Oscar aveva già portato la serata su un clima informale, anche grazie alle indicazioni che aveva dato al cameriere: riempire ogni bicchiere appena lo vedeva vuoto.

Non so se fosse per il vino o per Silvia, ho cominciato a raccontare vecchie barzellette venete che avevo sentito da mio padre.

Alla fine della cena il responsabile della comunicazione mi ha chiesto di chiamarlo Aldo, l'avevo conquistato.

Vedevo lo sguardo negli occhi di Oscar, era fiero di me.

E questo, all'improvviso, senza che me l'aspettassi, mi aveva reso felice. Nonostante la mia stima per lui si fosse consumata negli anni, la sua approvazione adesso mi riempiva di gioia. Ho scoperto in quel momento che il suo sguardo significava ancora molto.

Sentivo che eravamo sulla stessa sponda del fiume, giocavamo nella stessa squadra, io e lui complici contro gli altri.

A volte capita di ritrovare la sintonia con una persona che ci è sembrata ostile per anni, e quando succede la felicità ritrovata ha un sapore più intenso, perché si ritorna vicini dopo anni di distacco.

A cena finita, ho riaccompagnato a casa Luca.

«Guarda qui» mi ha detto mentre guidavo. Aveva fatto una foto di nascosto durante la cena: Oscar mi teneva una mano sulla spalla, io gli sorridevo.

«Se la faccio vedere in ufficio pensano che è un fotomontaggio.»

«Perché?»

«Non ti sei mai accorto che nessuno vuole stare in una stanza con voi due insieme? Scappano tutti.»

Non sapevo che la cosa fosse di dominio pubblico, né come fossimo arrivati a quel punto di frizione. Forse Luca aveva ragione, ero io che lo prendevo sempre di punta, e lui di conseguenza non me ne faceva passare una.

«Sai cos'è? È che siete uguali» ha detto Luca prima di scendere dall'auto.

Quando la mattina mi sono svegliato, l'affetto che avevo sentito per Oscar era già svanito. Era tornato a essere il capo, quello che non si levava dai piedi e non lasciava spazio a chi stava dietro.

Ero sicuro che, arrivato in ufficio, tutto sarebbe stato come sempre, una lotta.

«Gabo.»

Ho alzato la testa dalla scrivania, Oscar aveva fatto capolino nel mio ufficio.

«All'uomo di Azzolini sei piaciuto. Ti porto alla presentazione di Verona, preparati e butta giù un'idea convincente. Ci giochiamo una bella fetta di budget dell'anno prossimo.»

L'ho guardato, credo di aver avuto l'espressione di una civetta in una notte di luna piena.

«Dico sul serio. Molla subito gli animali.»

«Come fai a sapere degli animali?»

«Io qua so tutto», e se n'è andato.

A volte nella vita è bello sbagliarsi.

Quindici

Non era la prima volta che ci vedevamo la sera, quando era capitato non avevo mai preparato nulla da mangiare. Quella volta volevo cucinare qualcosa per lei, niente di complicato, insalata, verdure al forno con patate dolci e pesce al cartoccio.

Mentre pulivo l'insalata mi sono chiesto che ruolo avessi nella sua vita. Sapevo di essere l'amante, anche se a lei non piaceva chiamarmi così, diceva che io ero io.

Silvia aveva la capacità di agganciarmi da dentro e trascinarmi da un'altra parte, mettermi in sintonia con tutto ciò che era lei. Mi piaceva l'uomo che ero diventato, l'uomo che aveva visto in me.

Quando è entrata in casa ci siamo baciati, in quell'abbraccio c'era qualcosa di potente, sentivo il cuore battermi contro il petto.

Quando ha visto la tavola apparecchiata la sua bocca si è aperta in un sorriso di felicità.

«A saperlo avrei portato qualcosa, una bottiglia di vino magari.»

«Tieni» le ho detto passandole un bicchiere pieno. «Devi tornare a casa subito?»

«No, sono fuori con Daniela. Abbiamo tempo.»

Ci siamo seduti, c'era una sorta di gentilezza nuova tra noi, quasi più formale.

«Sono contento che sei qui.»

«Anch'io.»

Ho alzato il bicchiere per brindare.

«C'è anche il dolce. Una torta di nocciole, la versione gigante dei nostri biscotti.»

Si è messa a ridere. Vederla ridere mi scaldava dentro.

Abbiamo parlato molto e siamo rimasti spesso in silenzio, come succedeva fin dalle prime volte. I discorsi si sono fatti intimi e profondi. Mi ha raccontato di quando era bambina e sua madre passava le giornate a fumare e pulire la casa in maniera ossessiva.

Lei cenava sempre da sola, il padre era via per lavoro, e la madre dopo averle preparato da mangiare si metteva subito a sistemare ogni angolo della cucina. La vedeva strofinare e grattare come se tentasse di mettere ordine nella sua vita, riparare all'ingiustizia di trovarsi sola dentro casa con sua figlia. Silvia, seduta a tavola, aspettava una parola affettuosa, un gesto d'attenzione.

«Un giorno l'ho trovata in bagno svenuta. Pensavo fosse morta» mi ha detto.

«Quanti anni avevi?»

«Tredici. Non sapevo chi chiamare, mio padre era da qualche parte in Medio Oriente. Ho bussato ai vicini, poi è arrivata l'ambulanza. Ricordo tutto come fosse ieri.»

Aveva un'espressione indifesa, sembrava la bambina di allora.

«Non l'ho mai raccontato a nessuno.» Dopo una pausa ha aggiunto: «Nemmeno a mio marito».

Siamo restati in silenzio senza parlare, mi sono chiesto cosa si prova a crescere abbandonati a se stessi, senza il calore di un abbraccio. Ero stato un bambino fortunato, i miei genitori non mi avevano mai fatto mancare il loro affetto. Quando sono morti avevo trent'anni, anche se ero grande non ero preparato a un colpo così forte.

Perderli entrambi, all'improvviso, è stato come sprofondare in un buco, faticavo a trovare qualcosa a cui aggrapparmi. Non sapevo più chi ero, il dolore è stato così potente che mi ha congelato dentro.

Le ho preso la mano sopra il tavolo e l'ho tenuta stretta tra le mie finché lei mi ha sorriso.

Quando siamo andati in soggiorno, mi ha dato una chiavetta USB: «Qui c'è la playlist che ti avevo promesso».

La casa si è riempita di musica classica.

Siamo rimasti sul divano a chiacchierare. Anche se sapevamo che avremmo fatto l'amore, tutto era più lento e delicato, non c'era nessuna urgenza.

La osservavo mentre beveva il vino a piccoli sorsi. Ha scostato il bicchiere dalle labbra e con una dolcezza che non avevo mai visto prima mi ha sorriso di nuovo.

Ha scatenato dentro di me qualcosa di inaspettato. Le ho preso il viso tra le mani, l'ho guardata nella speranza di vedere la stessa tenerezza di prima. Lei ha chiuso gli occhi e mi ha offerto le labbra con un movimento impercettibile.

Poi, come se sfiorandoci in quel modo ci fossimo caricati di energia, tutto è esploso in maniera carnale.

Dopo aver fatto l'amore ci siamo guardati e siamo scoppiati in una risata forte e liberatrice. Dove eravamo stati?

«Mi è mancato tutto questo.»

«Anche a me.»

Quella sera ho desiderato dormire con lei. Quando l'ho vista rivestirsi ho sentito che c'era qualcosa di sbagliato, era arrivato il momento di portare la nostra relazione a un livello superiore.

Abbiamo ricominciato a vederci.

Stare lontani era stato come indietreggiare per tendere la corda dell'arco e scagliare la freccia ancora più distante.

All'inizio della nostra storia non mi ero mai chiesto cosa facesse quando non stava con me, la sua vita non era affar mio. In quei giorni, invece, ho iniziato a essere curioso anche del resto. Dopo i nostri incontri la immaginavo da sola in auto mentre si dava l'ultima controllata nello specchietto retrovisore, la vedevo cucinare la cena per la famiglia, la vedevo con suo figlio in braccio, seduti sul divano.

Quelle immagini mi facevano sentire escluso. Ho iniziato a pensare che il tempo che non passavamo insieme fosse un tempo meno importante. Le nostre felicità separate erano più piccole, più risicate, non sarebbero mai potute essere come la nostra felicità insieme.

Per assurdo ho iniziato a preoccuparmi più di ciò che faceva quando non era con me che del tempo che passava con me. Immaginavo che facesse l'amore con suo marito, le mani di lui che toccavano la sua schiena, le gambe di lei che si aprivano. Non riuscivo a sopportarlo, nella mia testa tutto si era ribaltato, era come se il marito fosse l'amante e io l'uomo tradito.

Il nostro rapporto non mi bastava più, volevo poter condividere con lei un pensiero che nasceva all'improvviso, una situazione divertente, farmi accompagnare dal barbiere, scegliere una camicia insieme.

Mi mancava non poter passeggiare con lei, mi mancava il momento in cui uno, senza dire niente, prende la mano dell'altro.

Volevo mischiarmi con lei, volevo che ci perdessimo dentro le reciproche vite. In fondo l'amore è questo, perdere il proprio perimetro, abbattere i confini. La volevo tutta intera, volevo tutto il suo tempo, volevo che mi dicesse che era solo mia, la mia donna, e che non c'era più niente per altri.

Così ho avuto un'idea, portarla a Verona con me. Sarei dovuto partire con Oscar la mattina stessa della presentazione da Azzolini, ho pensato che sarei potuto andare il giorno prima con lei e passare la notte insieme. Lontano da tutti.

L'ho chiamata per chiederle di accompagnarmi.

Quando mi ha detto che avrebbe trovato il modo di venire, ho sentito una gioia che non ricordavo di aver mai provato prima.

Sedici

La mattina abbiamo preso il treno per Verona.

Lavoravo al computer, Silvia mi sedeva accanto e leggeva. Senza nemmeno guardarmi aveva appoggiato una mano sulla mia gamba. Quel gesto ci faceva sembrare una coppia.

Sapevo già dove avremmo pranzato, una vecchia osteria nel centro che conoscevo bene, avevano dell'ottimo vino e dei piatti stagionali che non erano male. Per la cena, invece, avevo pensato a un posto speciale, un ristorante con un piccolo cortile interno, un'atmosfera molto riservata, romantica. Avevo prenotato con largo anticipo e mi ero assicurato uno dei cinque tavoli del cortile.

Sarebbe stata la nostra prima notte insieme e volevo che tutto fosse perfetto.

Mi sono immaginato quale scusa avesse inventato per prendersi tutta la giornata. Come si fosse organizzata con il bambino e cosa avesse provato nel salutare suo marito prima di uscire di casa.

Non volevo chiederglielo, rischiando di guastare il nostro tempo prezioso.

Le ho preso la mano e le ho baciato le dita. Gliel'ho tenuta finché non siamo arrivati a Verona.

Al ristorante abbiamo bevuto una bottiglia in due e una l'abbiamo portata in hotel. Appena siamo tornati in stanza l'ho spogliata, lentamente, poi l'ho baciata dappertutto.

Avevamo aspettato così tanto per avere un tempo davvero nostro, che non fossero un paio d'ore ritagliate in mezzo alla giornata, e ora finalmente lei sarebbe stata tutta per me, fino al mattino.

L'ho guardata negli occhi, mi sono spogliato e abbiamo fatto l'amore.

Poi siamo crollati l'uno di fianco all'altra.

Ero felice, ma anche teso, lucido. Il bisogno di dirle quello che provavo mi teneva sveglio e presente.

Con il viso appoggiato sul suo seno, ero sicuro che lei provasse le stesse cose che stavo provando io, per questo, nel silenzio della stanza, le ho detto: «Mi fido di te».

Ho sentito il battito del suo cuore accelerare.

«Non mi fido mai di nessuno, ma di te sì. Sarà che mi sono innamorato.»

Avevo appena tolto la maschera e stavo giocando a carte scoperte, obbligando anche lei a fare lo stesso.

Silvia era immobile, mi sembrava che il suo corpo stesse diventando sempre più caldo.

Mi ha posato una mano sulla testa e mi ha allontanato appena: «In che senso?».

Tra tutte le risposte possibili, era l'ultima a cui avrei pensato.

Si è seduta sul bordo del letto e si è passata le mani tra i capelli per sistemarli. Ha raccolto da terra la camicia, l'ha infilata e l'ha abbottonata. Ho avuto la sensazione che di colpo l'aria fosse diventata solida. Mi sono allungato verso di lei, con un dito le ho afferrato l'elastico delle mutande, l'ho tirato facendolo schioccare.

Si è voltata e ha improvvisato un sorriso che non le avevo mai visto e che le ha irrigidito il viso.

«Che c'è?»

«Niente.»

In quel "niente" c'era tutto il suo rifiuto.

«Vieni qui», ho cercato di afferrarla e tirarla a me, ma mi è sfuggita.

«Devo andare.»

«Come?» Avevamo tutta la serata di fronte a noi, e la notte, la nostra prima notte.

Mi sono alzato e le sono andato di fronte: «Fermati un attimo».

Le ho appoggiato le mani sulle spalle. Mi ha guardato dritto in faccia: «Mi spiace».

In un attimo ho capito che ero da solo a voler attraversare i confini che ci eravamo dati.

«Mi spiace» ha ripetuto lei.

«Non lo fare.»

«Cosa?»

«Ripetere che ti spiace.» Mi sono rimesso le mutande e la camicia, mentre lei mi guardava in silenzio.

Si è avvicinata. «È diventato complicato, non era così che doveva andare.»

Ho lasciato cadere i pantaloni che mi stavo infilando. «Con lui non puoi essere felice come lo sei con me.»

«Non è così semplice.»

L'ho guardata dritto negli occhi e ho fatto la domanda che avevo in gola da settimane, forse da sempre: «Vuoi stare con lui o vuoi stare con me?».

Non ha risposto, ha infilato in borsa l'astuccio dei trucchi.

«Il punto non è quello che voglio io.»

«Per me sì. In questa stanza siamo io e te, e non conta nient'altro.»

Dopo mesi eravamo riusciti a passeggiare per strada tenendoci per mano, eravamo felici, anche lei lo era. Volevo essere il suo uomo e volevo che lei fosse la mia donna, alla luce del giorno.

Si è girata per prendere il soprabito.

«Devo andare.»

«Se vuoi andare, nessuno ti trattiene» ho detto con durezza, nonostante fosse l'esatto opposto di quello che desideravo in quel momento.

Si è fermata davanti alla porta e prima di uscire si è voltata, aveva gli occhi pieni di lacrime. Non l'avevo mai vista piangere, non ero preparato al suo dolore.

Poi si è girata ed è uscita.

Il suono della porta che si chiudeva mi è rimasto impresso come un tuono.

Sono restato in piedi, mi sono guardato intorno, la stanza sembrava un campo di battaglia, il letto disfatto, le mie cose sparse sul pavimento, i cuscini a terra. Dentro e fuori di me c'era solo disordine.

Non riuscivo nemmeno a capire se l'avevo persa per sempre.

Diciassette

«Ma non eravamo insieme in questa cosa?», mi sono chiesto seduto sul bordo del letto.

Ho avuto l'istinto di chiamarla subito, ho anche pensato che se avessi preso un taxi sarei riuscito a raggiungerla in stazione. L'avrei trovata mentre aspettava il treno e avremmo potuto parlare. Qualcosa mi ha trattenuto. Ho pensato che forse sarebbe stato meglio far passare la notte.

Mi sono alzato, mi sono fatto una doccia lunghissima, poi mi sono vestito e me ne sono andato in giro per Verona. Mi sono ritrovato a passeggiare dove ero stato con lei qualche ora prima.

L'immagine di noi mi ha riempito la testa, a pochi passi da me vedevo i due che eravamo stati, nessuno avrebbe mai potuto pensare che di lì a poco si sarebbero lasciati.

Sembravamo così felici, così innamorati, così pieni di desiderio. Le parole, gli sguardi, le risate, le nostre mani intrecciate mentre camminavamo.

Com'era possibile che tutto fosse svanito? Che una cosa così bella potesse all'improvviso farmi male?

Non riuscivo a trovare una risposta.

Mi sono visto riflesso nella vetrina di un negozio, non c'era nessuno accanto a me, solo la sua assenza.

Quando sono tornato in hotel ho avuto la sensazione di aver camminato per un'eternità, mi ero scordato anche di cenare.

La stanza era stata rimessa in ordine, il letto era stato rifatto. Di noi, di quello che era successo, non c'era più traccia. Il tempo non si era fermato ad aspettare.

Sembrava tutto così lontano che sarebbe potuto essere stata solo una fantasia.

Ho pensato che non sarei mai riuscito a dormire, invece all'improvviso sono crollato in un sonno profondo.

Quando ho aperto gli occhi ho avuto la sensazione di aver dormito solo qualche minuto. Mi ero dimenticato di tirare le tende oscuranti, come mi capita sempre quando dormo in albergo, e mi avevano svegliato le prime luci del mattino.

Appena ho preso coscienza di quello che era successo, l'ansia mi ha assalito e ho controllato il telefono per vedere se c'erano dei messaggi, non c'era niente.

Tutto il dolore del giorno prima è tornato a farsi sentire.

Non potevo sopportare di non sapere cosa sarebbe stato di noi, l'avrei chiamata dopo la presentazione. Non le inviavo mai messaggi al mattino, sapevo che non era sola.

Per distrarmi mi sono concentrato sulla riunione che avrei dovuto affrontare di lì a poco.

Avevo appuntamento con Oscar in un bar in piazza delle Erbe, ci saremmo scambiati le ultime dritte e poi saremmo andati insieme da Azzolini.

Oscar mi stava aspettando seduto a un tavolino

di una sala interna, appartata. Stava leggendo un giornale. Era sicuro che nessuno lo stesse guardando, con gli occhiali appoggiati sulla punta del naso finalmente dimostrava l'età che aveva. Per la prima volta, dopo anni, ho avuto la sensazione che fosse fuori dal suo personaggio, e ho provato una simpatia istintiva.

«Con il sole che c'è oggi, non potevamo sederci fuori?» gli ho detto quando mi sono avvicinato al tavolo.

«Troppa gente, troppo viavai, al mattino presto preferisco stare tranquillo.»

Ho sorriso, era proprio invecchiato. Ho ordinato un caffè e tirato fuori il computer per mostrargli gli ultimi aggiustamenti che avevo fatto in treno.

«Me l'hai già fatta vedere l'altro giorno.»

«Ieri in treno ho sistemato delle cose...»

«Ti ho detto che va bene, mi fido. Fai questo lavoro da anni ormai, non c'è più bisogno che ti controlli a ogni passo.»

L'ho fissato come se fosse un alieno, aspettavo da tempo di sentirmi dire una cosa del genere da lui, e adesso non mi sembrava vero.

«Non guardarmi così, prima o poi sarebbe successo», e ha finito di bere la sua centrifuga verde. «Stamattina ho rischiato di perdere il treno» ha detto dopo l'ultimo sorso.

Ne ero sicuro, qualche strana presenza si era impossessata di lui, il vero Oscar si era sempre vantato di non aver mai avuto un minuto di ritardo in tutta la sua carriera. Per la prima volta mi sembrava umano.

«Sono stato sveglio fino alle sei del mattino.»

«Non sei stato bene?»

«Ho aspettato che mio figlio rientrasse a casa.»

«Sarà stato sicuramente con una ragazza.» Ho pensato a quante volte avevo tenuto svegli i miei genitori.

«L'ha fatto apposta. Ieri sera abbiamo avuto una discussione un po' forte.»

«Tuo figlio mi è sempre sembrato un ragazzo tranquillo» ho cercato di smorzare, Oscar mi sembrava molto preoccupato.

«Lo è. Abbiamo litigato perché non vuole fare l'università.»

«E cosa vuole fare?»

«Il disegnatore di fumetti.»

«È bravo a disegnare?»

«Molto bravo, è sempre stato un talento.»

«E allora qual è il problema?»

«Come qual è il problema? Che prospettive di carriera ha? Cosa può combinare? Quando gliel'ho chiesto sai cosa mi ha risposto?»

L'ho guardato senza parlare, in attesa.

«Papà, col cazzo che finisco sepolto vivo in un ufficio come hai fatto tu. Per che cosa poi? Per farti la villa al mare, che ci siamo sempre andati io e la mamma da soli?»

Si stava confidando con me.

«E sai cosa ho pensato fino alle sei del mattino?»

Mi ha guardato come per aspettare che dicessi qualcosa, ma io continuavo a tacere, e allora ha proseguito: «Che forse quello stronzo non ha tutti i torti».

Per un momento ho creduto di non aver sentito bene, stava mettendo in discussione le certezze di una vita, le ragioni per cui ogni mattina si alzava dal letto e faceva un'ora di pre-pugilistica. Per un istante ho avuto il desiderio di raccontargli di Silvia, forse in quel momento mi avrebbe capito e mi avrebbe anche potuto dare un buon consiglio, un consiglio da padre saggio.

Poi è arrivato il cameriere con il caffè e ha rotto l'atmosfera confidenziale che si era creata tra noi. Ho perso il momento e non ho detto nulla.

«Mentre bevi il caffè vado a pagare, è quasi ora di andare.» Si è alzato e mi ha lasciato da solo al tavolo. Era tornato l'Oscar di sempre, uno che non si ferma ad aspettarti nemmeno il tempo di un caffè.

Il pensiero di Silvia mi ha assalito subito, mi era tornato il nodo allo stomaco.

Nella sala riunioni ho collegato il computer all'impianto e ho verificato che tutto funzionasse.

Quando Azzolini e Aldo, il responsabile della comunicazione, si sono seduti, ho chiesto di oscurare la sala e ho fatto partire il video.

Si vedevano immagini dello spazio, un'animazione in 3D mostrava che il passaggio di un anno equivale a un giro intero della terra intorno al sole.

Il cacciatorino Azzolini aveva fatto più di cinquanta giri, le sue traiettorie intorno al sole erano sinonimo di qualità.

Il video è finito, qualcuno ha tirato le tende e ho visto il viso di Azzolini.

«Questo è il cardine della campagna» ho detto.

Nessuno parlava, né sorrideva. La mia idea non li aveva scaldati.

Azzolini ha bevuto un goccio d'acqua, si è aggiustato sulla sedia e mi ha detto: «Vede, i nostri clienti sono famiglie, pensavo che le avessero già dato questa informazione», e ha tirato un'occhiata a Aldo, che subito ha puntualizzato: «È la prima cosa che ci siamo detti a Milano».

Ho guardato Oscar nella speranza che mi venisse in aiuto, era seduto in silenzio e aspettava che reagissi in qualche modo.

«Lo so, ho pensato che la pubblicità è piena di famiglie improbabili che fingono grandi sorrisi e una felicità irreale. Invece di accostare un nonno e un nipote per tenere insieme tradizione e innovazione come fanno sempre tutti, ho pensato che fosse più originale mandare il cacciatorino nello spazio.»

Azzolini, senza nemmeno più guardarmi, ha detto: «Sta a voi creare delle famiglie credibili. Io voglio vedere tavole apparecchiate, mamme col grembiule, il calore di una cucina e non freddi asteroidi che sembrano enormi calcoli ai reni».

Colpito e affondato, non sapevo più cosa dire.

Azzolini mi ha guardato: «È tutto qua? Non avete pensato a un'alternativa?».

Non avevo nessuna alternativa, avevo puntato tutto sul cacciatorino spaziale.

Mi sentivo sotto la pressione di un carrarmato, una parte di me non riusciva a smettere di pensare a Silvia e di tenere d'occhio il telefono, casomai fosse lampeggiato il suo nome sul display, l'altra parte si affannava disperatamente per cercare un'idea qualsiasi che potesse tirarmi fuori da quella situazione del cazzo.

Aldo, Oscar e Azzolini mi tenevano gli occhi addosso. Nello spazio di ventiquattr'ore mi stavo giocando la vita.

L'unica cosa che mi è venuta in mente è stato il payoff di Luca: "Un maiale che gode così non può che fare un ottimo salame".

Ho chiuso gli occhi, era tutto talmente assurdo che mi è venuto da ridere.

Quando li ho riaperti, ho chiaramente capito che mi avevano visto.

Azzolini, spazientito, si è alzato in piedi: «Ci riaggiorniamo quando avrete qualcosa di meglio. Buona giornata».

Aldo l'ha seguito come un cane fedele, nella stanza siamo rimasti io e Oscar. Ha aspettato un momento prima di finirmi: «Posso capire tutto, l'idea non è piaciuta e non è solo colpa tua, succede, fa parte del gioco, ma ridere quando il cliente ti chiede se hai un'alternativa non mi sembra intelligente. Ti facevo più smart, Gabriele».

Ero in caduta libera e non sapevo a cosa aggrapparmi.

Diciotto

Sono rimasto da solo in sala riunioni a raccogliere le mie cose e a rimettere insieme le idee. Com'era potuto accadere che mi mettessi a ridere in faccia ad Azzolini? Fanculo a Luca e alle sue battute. L'avrei voluto vicino in quel momento, sarebbe stato capace di alleviare l'angoscia di non sapere dove fosse Silvia, cosa pensasse e se davvero tra noi fosse finita.

Oscar non mi aveva nemmeno aspettato, aveva preso il primo treno per Milano.

Allora mi sono diretto in stazione a piedi, non c'era più nessuna fretta, e avevo voglia di camminare. Mi sono seduto su una panchina in un piccolo parco e l'ho chiamata.

Ha squillato a vuoto fino a quando è scattata la segreteria telefonica. A quel punto ho chiuso.

Ho sentito una stretta allo stomaco, non era solo una sensazione, era un dolore fisico.

Ho cercato di interpretare la sua reazione. Forse era stata un'emozione troppo intensa e inaspettata, forse non provava le stesse cose che provavo io e avevo frainteso tutto. E invece no, non potevo essermi inventato ogni cosa, era evidente che non fossimo solo due amanti, ci eravamo confidati cose intime, riservate. Cose che non aveva detto a nessuno, neppure a suo marito. Era evidente che non fosse solo una questione di sesso.

È vero, non mi aveva mai parlato di suo marito con amarezza, rancore o rabbia. A volte si lamentava, ma senza un vero risentimento. Forse era innamorata di tutti e due e il fatto di averla messa davanti a una scelta l'aveva spiazzata. Ero sicuro però che con me fosse più felice.

Seduto sulla panchina, invaso da un dolore che non mi dava tregua, è squillato il telefono.

«Scusami, non potevo risponderti.»

C'è stata una piccola pausa, come se nessuno dei due sapesse cosa dire.

«Silvia?»

«Ci sono.»

Ancora una piccola pausa.

«Che ci è successo ieri?» le ho chiesto.

«Non lo so.»

«Sto per prendere il treno, dopo pranzo sono a Milano, ne parliamo di persona?»

«Oggi non posso.»

«Domani?»

Un'altra pausa, ho aspettato la sua risposta senza incalzare.

«Sono confusa, non so più cosa fare.»

«Vediamoci.»

Ho aspettato in silenzio fino a quando ha detto: «Sapevamo che saremmo arrivati a questo punto. Era una strada senza uscita, ma ci siamo voluti entrare lo stesso. Adesso non resta molto da fare, anche se è doloroso. Ci siamo spinti troppo in là».

Le sue parole mi facevano male.

«Non possiamo vederci per parlarne?»

Non ha risposto, sono stato invaso dal terrore, avevo paura che avesse già chiuso la porta e mi avesse lasciato fuori.

«Va bene, vediamoci domani.»

È stato come tornare a respirare dopo un'apnea sott'acqua.

Nell'accordarci sul dove e quando, sembravamo due estranei che pianificavano un appuntamento di lavoro. Non l'avevo mai sentita così distante e fredda, non c'era nessun trasporto.

Avrei voluto farle mille domande o forse una soltanto, ma non le ho chiesto nulla. Per la prima volta da quando la conoscevo ho avuto paura di dire qualsiasi cosa. Se avessi pronunciato una parola sbagliata avrei rischiato di non vederla più.

«A domani.»

Volevo chiudere la conversazione e mettere al sicuro la possibilità dell'incontro.

Diciannove

Avevo suggerito di vederci da me, e quando mi ha detto di no ho capito che aveva bisogno di un territorio neutro.

«Vediamoci in libreria» ha suggerito.

Avevo così paura di sbagliare e perdere l'occasione di rivederla che ho accettato subito.

«Va bene.»

Nelle ore successive ci avevo ripensato, vederci in un luogo pubblico avrebbe impedito ogni conversazione intima, ho preso il telefono e ho scritto: "Sei sicura che non possiamo vederci da me?". Stavo per inviarlo, poi mi è venuto il dubbio che potesse pensare che volevo fare l'amore con lei. Ero schiacciato da un'enorme insicurezza, ho cancellato il messaggio e ne ho inviato un altro: "Possiamo vederci in auto?".

Mi sembrava una buona via di mezzo.

"Perché non in libreria?" aveva risposto subito.

"Per non rischiare che qualcuno ci veda o ci ascolti."

"Va bene."

Sembrava tranquilla, forse la cosa era meno grave di come la stavo facendo.

Sono arrivato in anticipo, ho trovato parcheggio vicino ai cassonetti della spazzatura, non esattamente un posto romantico.

Nemmeno l'auto era una buona scelta, se ci fossimo voluti abbracciare non avremmo potuto farlo per intero, solo di collo e di petto.

Provavo diverse sensazioni tutte insieme, eccitazione nel rivederla, imbarazzo per quello che era successo e paura di sbagliare, di perderla per sempre. Ero così preso dai miei pensieri che quando è salita in auto mi sono quasi spaventato.

«È tanto che aspetti?»

«Sono arrivato in anticipo.»

Ha appoggiato la borsa tra i piedi e mi ha chiesto: «Come va?».

Sapeva benissimo come stavo, dopo un silenzio ho detto: «Confuso».

Ha fatto un mezzo sorriso amaro: «Anch'io».

Sembrava lei ma qualcosa era diverso, anche nei lineamenti. Era più tirata, la mandibola, il naso, gli zigomi erano più delineati.

Guardandola avevo capito in un istante che aveva la faccia di chi è già da un'altra parte.

Ho sentito una fitta allo stomaco. «Vorrei potessimo tornare indietro ed essere come siamo sempre stati» ho detto. «Ero un po' brillo, fai finta che non ti abbia detto nulla. Mi sono fatto prendere dall'entusiasmo del momento.»

«Quindi non pensi quello che hai detto?»

Mi guardava dritto negli occhi. Non sapevo cosa rispondere. Non volevo dire la verità, volevo dire la cosa giusta, quella che mi avrebbe aiutato a riaverla indietro. Mi è uscita la cosa più stupida: «Che vuoi sentirti dire?».

Mi ha guardato senza rispondere. Per un attimo mi sono sentito braccato, senza via d'uscita.

Poi, nel silenzio prolungato, mi sono arreso: «Sai benissimo quello che provo, forse anche da prima che te lo dicessi. Probabilmente hai solo sperato che tenessi questa cosa per me».

Mi ha guardato e la sua dolcezza mi ha dato il coraggio di continuare: «Sono innamorato di te, non posso farci nulla e questa cosa, per la prima volta in vita mia, non mi spaventa».

Ha fatto un mezzo sorriso. «Non l'avevo messo in conto.»

«Nemmeno io, ma è successo.»

«Quello che mi hai detto ieri mi ha riportato alla realtà, solo in quel momento mi sono resa conto di cosa stavamo facendo. È come se fino ad allora fossimo stati in una bolla.»

«Adesso che hai capito qual è la realtà, cosa provi per me?»

Ha guardato dritta di fronte a lei e ha abbassato gli occhi: «Non lo so».

«Forse hai bisogno di tempo per capirlo.»

Si è guardata le mani che teneva appoggiate sulle gambe: «Non voglio chiedermelo».

Sono rimasto in silenzio.

«Ho paura di quello che potrei scoprire.»

L'ho incalzata: «Che significa?».

Mi ha guardato per essere sicura che capissi bene ogni parola: «Ho paura di scoprire qualcosa che non voglio sapere. Non sono sola, ho un marito, ho un figlio e ogni mia decisione ricade anche su di loro. Non posso pensare solo a me stessa».

Mi sembrava tardi per farsi questi riguardi, erano mesi che ci frequentavamo e l'aver scelto di vedermi significava che aveva già pensato solo a se stessa. Allora perché adesso tornava indietro?

Mi ha anticipato: «Lo so che stare con te significa che ho pensato solo a me stessa. Sono stata incosciente e mi andava bene così. Ma quello che mi chiedi adesso è troppo, non ce la faccio. Non posso».

«Non puoi o non vuoi?»

«Non posso e non voglio.»

«Come fai a non voler sapere cosa provi per me?»

Non ha risposto, ha continuato a guardarsi le mani.

Ero arrabbiato. «Non puoi scappare così, non puoi buttare via tutto. Non ci credo.»

È rimasta in silenzio, poi con voce sottile, senza guardarmi, ha detto: «Tu non sei reale. Noi insieme non siamo reali. La donna che dici di amare non esiste, nella vita non sono come nel tempo che passiamo insieme. Tu non mi conosci. La donna che veniva da te, a casa, non ero io».

Mi ero preparato un discorso, ma quello che mi stava dicendo era così assurdo che non riuscivo a ricordare nulla, tutto si era dissipato.

«La vera me la lasciavo fuori, sul pianerottolo» ha continuato.

«È un peccato che tu non l'abbia fatta entrare, sarei stato in grado di amare anche lei.»

«Non hai capito, non la lasciavo fuori per te ma per me, ero io che in quelle ore non la volevo vedere.»

Ero sempre più confuso, stavo per chiederle di spiegarsi meglio quando mi ha detto: «Ho provato a fartelo capire, ti ricordi quando ti ho detto che noi due eravamo una pausa dalle nostre vite?».

Certo che me lo ricordavo, sono andato all'attacco: «Questa stronzata che siamo una pausa dalle nostre vite si può dire tanto per dire, è una cazzo di metafora e non ci puoi credere veramente. Una volta mi hai detto che con me sei un'altra persona, per questo ti sembrava di non tradire tuo marito, ma in realtà tu sei sempre tu. Non si esce dalla vita, non si prendono pause, vacanze. La vita è una sola, ed è questa».

«Non alzare la voce, non serve. Possiamo parlare da persone adulte senza gridare.»

Ho fatto un lungo respiro per calmarmi, lei mi ha guardato e con tono deciso mi ha detto: «In tutti questi mesi non hai perso occasione per dirmi che non volevi nessuna relazione, che le relazioni non facevano per te perché portavano alla tirannia del quotidiano. Capisci che parole usavi? Tirannia del quotidiano. E adesso che succede? Vuoi la tirannia del quotidiano?».

Non riuscivo a trovare le parole per rispondere, mentre ancora le cercavo è andata avanti: «Ti ricordi quando ti ho invitato a Madrid? Avresti dovuto vedere la tua faccia, sembrava ti avessi chiesto di sposarmi. Non avevo dubbi che avresti trovato la scusa per dirmi di no. Sono uscita da casa tua dandomi della stupida, cosa mi ero messa in testa?».

Aveva ragione, ero in difficoltà.

Ha fatto l'affondo finale: «Non ho mai pensato di mandare all'aria il mio matrimonio. Se a un certo punto hai creduto di poter essere l'alternativa a mio marito non puoi dare la colpa a me».

Le sue parole mi erano entrate dritte nel petto.

«Non ho creduto di essere l'alternativa a niente. Semplicemente è successo» ho detto. La nostra complicità era svanita, non ce n'era più la minima traccia. Mi sono sentito usato. «Volevi solo vendicarti di tuo marito?»

Ero stato meschino e glielo leggevo negli occhi. L'avevo delusa.

Su di noi è calato un lungo silenzio.

Una macchina stava cercando di parcheggiare e il guidatore non sapeva fare manovra. Ho provato l'istinto di scendere e parcheggiare l'auto al posto suo, per prendere un po' d'aria e respirare.

Volevo sapere ma ero terrorizzato, mi spaventava scoprire che non ci sarebbe più stato un tempo per noi, che fosse tutto finito.

Ho dovuto ricorrere a tutto il coraggio che mi era rimasto per chiederle: «Cosa succede adesso tra noi?».

Non ha risposto, con una mano si è coperta gli occhi. Mentre aspettavo il verdetto ne osservavo ogni parte, i capelli, le labbra, il naso, la forma del seno, il collo. La guardavo come si guarda un paesaggio per l'ultima volta, sapendo che non lo si rivedrà più.

Non avrei più intrecciato le mie dita con le sue, non avrei più baciato la sua pelle, la sua bocca, il suo collo. L'idea che non l'avrei più respirata, toccata mi faceva stare male. È un dolore indescrivibile quando capisci di non poter più avere qualcosa che ti ha reso felice.

Sapevo già cosa avrebbe fatto. Avrebbe usato tutta la sua razionalità per distruggere quello che c'era stato. Mi avrebbe smontato pezzo per pezzo convincendosi che era stato tutto sbagliato, che io ero tutto sbagliato. Sarebbe andata avanti fino a quando non fossi sembrato un ricordo lontano, forse nemmeno esistito.

Continuava a stare in silenzio e la disperazione cresceva dentro di me. E si sa, niente è meno affascinante di un uomo disperato che supplica di non essere lasciato.

Non ero per nulla pronto a essere dimenticato, ad accettare il fatto che saremmo diventati due estranei. Non volevo rinunciare alla vita che avevo immaginato per noi.

Nel silenzio ho sentito una vampata in tutto il corpo, stavo per piangere ma sono riuscito a trattenermi. Una tristezza infinita ha riempito ogni spazio vuoto dentro di me, facendomi sentire piccolo e rendendo il mio respiro più corto.

Silvia mi ha attraversato con lo sguardo, mi è sembrato di sentire un rumore acuto, un suono che non saprei descrivere. Qualcosa dentro di me si è spezzato.

«Non devo più cercarti?» ho chiesto.

Ha abbassato gli occhi e con un tono composto ha detto: «Non devi più cercarmi».

Ha preso la borsa ed è andata via.

Sono andato in pezzi.

Venti

Mentre facevo colazione avevo la sensazione che in cucina ci fosse più silenzio del solito, perfino il frigorifero sembrava aver smesso di respirare.

Prima di Silvia ero stato bravo a tenere le relazioni alla giusta distanza, avevo imparato quale fosse la misura per ridurre i rischi.

Tutto si basava su una regola semplice ed elementare: la vita dell'altra persona non doveva addentrarsi troppo nella mia e viceversa. Non dovevo mai rendere conto a nessuno, non dovevo dipendere da nessuno e nessuno doveva dipendere da me.

Per anni ero stato convinto dell'esistenza dell'anima gemella, la persona che si incastra perfettamente senza sforzo. Ogni volta che con una donna arrivava una difficoltà mi dicevo: "Ecco, non è lei, lascia perdere". Quella teoria mi dava un alibi perfetto per mantenere le distanze, per non farmi mai coinvolgere profondamente.

Nei giorni successivi al nostro addio una delle cose con cui ho dovuto lottare era la sensazione di avere un sacco di tempo libero. Anche se non ci vedevamo spesso, il pensiero di noi due aveva occupato tutti gli spazi vuoti, e ora che noi due non esistevamo più ero braccato da pensieri che cercavo di evitare.

I giorni passavano e la ferita, invece che guarire, peggiorava, il dolore sembrava sempre più intenso. Stavo così male che l'allegria degli altri mi infastidiva.

Le notti non riuscivo a prendere sonno, mi giravo continuamente nel letto. Non avevo fame ma mangiavo lo stesso, mi sforzavo di farlo anche perché sedersi a tavola mi dava una sensazione di normalità. Stavo in silenzio con la forchetta in mano a masticare qualcosa che non sentivo, fissando qualcosa che non guardavo.

A volte provavo dell'odio nei suoi confronti, non si meritava le cose belle che avrei voluto darle, non si meritava neppure il mio dolore. In quei momenti mi pentivo di non aver trovato il modo di ferirla con le mie parole. Volevo che anche lei sentisse quello che provavo. Era ingiusto che stessi male solo io, era ingiusto che non avesse bisogno di me per continuare a vivere e per essere felice.

Ho capito in quei giorni cosa volesse dire essere fuori di sé, è così che mi sentivo. Non sapevo più chi fossi e non sapevo come fare per rientrare in me.

Dopo Verona, Oscar non mi aveva tolto la campagna: «Adesso sbrogli il casino che hai combinato, l'hai fatto e lo disfi. Mi aspetto un'idea così folgorante da far dimenticare ad Azzolini che gli hai riso in faccia. E basta cacciatorini nello spazio».

Solo qualche mese prima per un'occasione del genere avrei lavorato giorno e notte pur di dimostrare a Oscar che ce la potevo fare, ora non riuscivo nemmeno a concentrarmi sulla lista della spesa.

L'unica cosa che mi interessava e che mi occupava la testa era Silvia, capire come farla tornare da me.

Mi ero convinto che se le avessi parlato ancora una volta sarei riuscito a farle cambiare idea. La donna con cui ero stato, avevo fatto l'amore, avevo chiacchierato, condiviso ore meravigliose doveva pur esistere ancora da qualche parte, forse era solo nascosta sotto le sue stesse paure.

Un giorno le ho mandato un messaggio: "Ti devo parlare".

Ho tenuto il telefono in mano per due ore aspettando una risposta. Alla fine l'ho chiamata. Non mi ha risposto. Mi stava trattando in un modo che non meritavo.

Avrei dovuto lasciar perdere, ma il suo silenzio ha scatenato in me una rabbia mai sentita prima. Ho iniziato a chiamarla a ripetizione.

Dopo dieci chiamate a vuoto mi ha risposto. Non mi aspettavo di sentire la sua voce e sono rimasto in silenzio. Anche la rabbia sembrava essere evaporata, la sua voce era gelida: «Non rendere tutto più difficile».

«Ho bisogno di vederti, ho bisogno di parlare.»

«Quello che dovevamo dirci ce lo siamo detti. Bisogna solo accettare questa situazione e andare avanti. Non è facile nemmeno per me.»

Ho sentito un piccolo piacere nel sapere che anche per lei non fosse facile: «Dobbiamo dirci delle cose».

«Non serve a nulla insistere, se non a rendere tutto più complicato.»

Le sue parole si sono portate via tutta la speranza che avevo riposto nella telefonata.

Non sono riuscito a dire altro, ci siamo salutati e

ha chiuso. Mi sono seduto sul divano e sono rimasto per ore in silenzio, immobile.

Dovevo accettare la situazione.

Nei giorni successivi sono stato travolto da una valanga di immagini. Prima il ricordo di noi, cose che avevamo vissuto, momenti dolcissimi e passionali. Poi la vedevo fare l'amore con suo marito. Il sangue mi andava alla testa, la faccia diventava calda, una specie di rabbia compressa.

Un giorno, al lavoro, mi sono alzato dalla scrivania e sono andato sotto il suo studio. Ho suonato il citofono, nessuna risposta. Ho suonato di nuovo, forse non c'era.

Ho perso il controllo, sono salito in auto e sono andato sotto casa sua. Sono rimasto ad aspettare.

Sapevo che avrei creato problemi, che avrei peggiorato la situazione, ma non mi importava. Ero preso in un vortice di emozioni deliranti su cui non avevo nessun controllo. Se dovevo cadere, allora che cadessero tutti con me.

L'ho vista sbucare da dietro l'angolo della strada, camminava sul marciapiede, teneva in braccio un bambino. Accanto a lei c'era una ragazza giovane.

Con un movimento rapido sono sceso dall'auto e le sono andato incontro. Quando mi ha visto si è bloccata: «Cosa fai qui?» ha detto cercando di mascherare lo spavento.

«Ho bisogno di parlarti.»

«Ora non posso.» Poi ha tentato di alleggerire la tensione e l'imbarazzo: «Lui è Gabriele, un amico della mamma, questo è mio figlio Lorenzo e lei è Veronica, la babysitter».

Ho guardato suo figlio, era la prima volta che lo

vedevo, le assomigliava molto. Ho fatto un sorriso vuoto e un cenno con la mano.

«Veronica, tu e Lorenzo salite in casa, io vi raggiungo», e ha passato il figlio alla babysitter. Il bambino ha iniziato a piangere e strillare, rimaneva aggrappato al collo della madre.

«Torno subito, amore, aspettami su. Veronica ti dà un biscotto.»

Mentre si allontanavano Silvia aveva fatto ciao con la mano, suo figlio sembrava arrabbiato e non aveva risposto al saluto.

Si è voltata verso di me e mi ha detto di seguirla.

Appena girato l'angolo mi ha guardato. «Ma cosa cazzo ti sei messo in testa?»

Non l'avevo mai sentita dire una parolaccia. Mi sono sentito piccolissimo, non potevo credere a quello che avevo appena fatto.

«Ma sei impazzito?» La sua faccia era rossa di rabbia. «Cosa pensavi di fare? E se invece della babysitter ci fosse stato mio marito? Adesso mi fai un piacere, te ne vai via immediatamente e qui non ci torni più. Chiaro?»

Non trovavo le parole per risponderle, non c'era niente che potessi dire in grado di giustificare le mie azioni.

Era così furiosa che penso avrebbe potuto picchiarmi.

«Hai ragione, non sarei mai dovuto venire. Non so cosa mi è preso.» Era l'unica cosa sensata che mi era venuta da dire. Ero mortificato.

Mi ha guardato negli occhi in silenzio qualche secondo. «Vieni con me.»

Con passo veloce si è incamminata e l'ho seguita

fino a quando siamo arrivati a un bar a un paio di isolati da casa sua.

Abbiamo ordinato una cosa che nessuno dei due ha bevuto, poi ha detto: «Prima di iniziare, promettimi che non farai mai più una cosa del genere».

«Promesso.»

Mi ha guardato, credo si aspettasse che parlassi, invece non riuscivo più a dire nulla. I miei occhi erano lucidi, più passavano i minuti più quello che avevo fatto mi sembrava mostruoso e ingiustificabile.

Lei ha capito e ha cambiato espressione.

«Mi dispiace Gabriele, non era questo che volevo. Ho dei bellissimi ricordi di noi due insieme, non voglio che si rovini tutto.»

Siamo rimasti in silenzio, il suo viso diventava ogni istante meno teso. «Lo so che è dura da accettare, ma io voglio stare dove sono, con mio figlio e mio marito.»

Ho smesso di respirare, le sue parole mi avevano tolto il fiato. Non riuscivo a credere che volesse buttare via così tutto quello che c'era stato tra noi. Non sapevo dove guardare, toccavo con un dito la condensa sul mio bicchiere di birra. Ho alzato gli occhi verso Silvia.

«È quello che desideri veramente?» le ho chiesto con voce calma.

Volevo sapere che cosa provasse, al di là del fatto che non mi volesse più.

Senza muovere la testa, con lo sguardo fisso sulla strada, in una sorta di sospensione mi ha risposto: «Tu mi chiedi sempre cosa desidero».

La guardavo senza capire. Poi si è voltata verso

di me. «Ti ricordi il giorno in cui ti ho detto che non potevo venire perché all'ultimo la babysitter aveva avuto un impegno? Ricordi cosa mi hai risposto?»

Ho fatto di no con la testa.

«Mi hai chiesto se non riuscivo a trovarne un'altra, come se dovessi trovare qualcuno a cui dare una valigia in custodia. Dentro di me ho sorriso, e in quel momento ho realizzato quanto la mia vita fosse diversa dalla tua.»

Ha fatto una pausa e poi ha continuato a parlare con la lentezza che permette di dare a ogni parola il giusto peso.

Mi ha confessato quanto fosse stato complicato per lei trovare il tempo per venire da me, quante cose doveva incastrare per potermi vedere. Mi ha confessato quanto fosse difficile tenere a bada i sensi di colpa quando chiedeva alla babysitter di andare a prendere suo figlio all'asilo al posto suo.

Non mi stava preferendo al marito, né stava negando il suo sentimento per me e la magia del nostro stare insieme.

Mi ha guardato e mi è sembrato che i suoi occhi fossero diventati lucidi. Non stava lottando per sé, la sua partita si stava giocando altrove, non lì con me.

«Quando mi sveglio la mattina non mi chiedo come posso essere felice, ma come possiamo essere felici insieme. Io, mio figlio e mio marito. Per me non esiste più una felicità che non sia condivisa, che sia solo mia. L'ho capito in questi ultimi giorni.»

«Anche noi eravamo felici insieme» ho detto piano, quasi sussurrando.

«Lo eravamo, ma poi tornavo a casa. E hai ragione tu, non esiste una pausa della vita, la vita è una sola.» Poi, dopo un piccolo sospiro, ha detto: «Ti ho amato davvero, senza pause».

Siamo rimasti in silenzio qualche secondo, eravamo esausti. Avevo avuto quello che volevo, sapere che anche lei aveva provato qualcosa di profondo e che non mi ero immaginato tutto.

L'aveva detto, finalmente, ma aveva usato un verbo al passato. Avevo perso.

Invece di sprofondare in un dolore più forte, sono stato invaso da una calma assoluta, il nodo che avevo dentro si è sciolto. Ho capito che l'unica cosa da fare era alzarmi e portare il mio dolore altrove. Il confronto non era più con lei, ma con me stesso.

L'ho guardata negli occhi, le ho sorriso. «Sei la cosa più bella che mi sia capitata in tutta la vita.»

Non so dove abbia trovato la forza di dirglielo. Senza aggiungere altro mi sono alzato. Mi sono avvicinato e le ho appoggiato una mano sulla guancia. Me l'ha lasciato fare. Poi ho appoggiato le mie labbra sulle sue, sono rimasto qualche secondo immobile. Un bacio delicato, lungo, silenzioso. Quando è finito, avevo il viso bagnato dalle lacrime, ma non erano le mie.

Mi sono voltato e me ne sono andato.

Ventuno

Quando una persona decide di rompere una relazione, tutto dovrebbe accadere molto lentamente, un passo alla volta. Sarebbe bello avere la possibilità di vivere una specie di decelerazione. Come quando devi scendere dall'auto e alla radio sta passando la tua canzone preferita, vuoi aspettare che finisca e, se proprio non puoi, la sfumi abbassando lentamente il volume.

Silvia non aveva rallentato, non mi aveva nemmeno accompagnato all'uscita. Tutto era stato rapido e brusco.

L'ultimo ricordo che avevo di noi era la giornata a Verona. Andavo a mille, gridavo di gioia, mi sentivo nudo sul tetto del mondo e poi un secondo dopo a terra, distrutto, con le ossa rotte. La realtà è un pavimento duro.

Ci sono voluti mesi. A un certo punto non capivo più nemmeno contro chi stessi lottando, contro Silvia, contro di me, contro l'amore, contro la vita.

La mia testa ha iniziato a riempirsi di domande che non potevo rivolgere a nessuno. Ero arrivato al punto in cui non potevo più sottrarmi a me stesso.

Come era possibile che una persona che avevo frequentato per qualche mese fosse riuscita a colpirmi così nel profondo?

L'avevo amata senza rete di sicurezza, ma non potevo farci niente, avevo capito che è l'unico modo di amare.

Ci sono voluti tempo e distanza per avere una visione lucida di ciò che mi era accaduto.

I primi tempi mi sembrava impossibile accettare la sua assenza.

Restava viva una piccola speranza, l'idea che potesse tornare, che potesse cambiare idea e presentarsi davanti alla porta di casa.

Per mesi ogni suono di un messaggio ricevuto, ogni squillo del telefono, ogni numero anonimo mi faceva pensare a lei.

In alcuni momenti fantasticavo su di noi, ci vedevo cenare insieme, dormire insieme, svegliarci insieme, guardare un film, fare la spesa. In una delle mie immagini preferite, eravamo in casa alle cinque del mattino in una giornata d'inverno, pronti per andare in montagna a sciare. Riuscivo a sentire perfino il rumore delle giacche a vento mentre andavamo da una stanza all'altra. Un giorno l'ho anche vista incinta, ho pensato che avremmo potuto vivere tutti insieme, noi tre e il figlio che aveva già avuto.

Immerso in quelle fantasie mi sentivo sollevato, come quando un antidolorifico ti toglie momentaneamente il dolore. Subito dopo ripiombavo nella realtà, ed era ancora peggio.

Avevo promesso che non l'avrei mai più cercata e l'ho fatto, ma è stata durissima. Tentavo di allontanare il più possibile il suo viso, ho provato a odiarla, ma alla fine non ci riuscivo. Ci si stanca subito di odiare qualcuno che in realtà si vuole vicino.

La sera camminavo per la città senza meta, andavo in centro, guardavo le vetrine dei negozi chiusi. A volte salivo in auto e guidavo per ore.

Quando sentivo che il dolore mi toglieva il respiro, mi regalavo piccoli sollievi. Andavo nella gelateria dove c'eravamo conosciuti, andavo nella nostra libreria e prendevo un biscotto alla nocciola. Indossavo le camicie che amava indossare lei, ascoltavo la sua playlist. Mi ero anche comprato *La gaia scienza*. Lo leggevo pensando che anche lei aveva fatto lo stesso percorso, pagina per pagina.

«Ancora con 'sto libro?» mi ha detto Luca quando l'ha visto sulla mia scrivania.

«Lo so, sono ridicolo.»

«Va bene, dài, alzati», e ha preso la mia giacca.

«Dove andiamo?»

«A fare un giro.»

Abbiamo camminato fino al parco vicino all'ufficio.

«La devi smettere» mi ha detto mentre si rimboccava le maniche della camicia.

«Mi vuoi menare?»

«Te lo meriteresti, ma non voglio infierire su un moribondo.»

Mi è venuto da ridere, era la prima volta da settimane.

«Vedi che non ci vuole molto? Non ti posso più vedere che entri in ufficio trascinando i piedi come un vecchio.»

«Non ce la faccio.»

«Non dire cazzate.» Luca è diventato serio. «Lei non ha preferito il marito a te, ha scelto un'altra cosa.»

«E cosa ha scelto? Di essere infelice con un altro solo perché ha un figlio?»

«Vedi che non capisci? Hai sempre vissuto da cane sciolto, non te la puoi nemmeno immaginare la potenza di quel "noi".»

Non era credibile nel ruolo del maestro di vita.

«Vorrei ricordarti che non ti volevi sposare, e l'hai fatto perché ti sentivi in obbligo.»

Luca è venuto verso di me, mi ha guardato negli occhi. «Ho sposato Marisa perché quando ami una persona fare un passo indietro significa farne uno avanti insieme. Scopri cose che da solo non avresti mai potuto vedere.»

Mi aveva parlato con trasporto, come se mi stesse dicendo qualcosa di molto importante, come se mi avesse confidato un segreto prezioso. Anche se non avevo capito del tutto, le sue parole mi erano entrate dentro e per qualche strana ragione mi avevano fatto sentire meglio.

Un giorno, dopo il lavoro, sono salito in auto e sono andato a fare la spesa, poi sulla strada di casa ho preso una deviazione e mi sono perso. Mi sono ritrovato in una zona di periferia dove finiscono le case e comincia la campagna. Mi sono fermato, ho spento l'auto. Appoggiato al cofano mi guardavo intorno. Era il tramonto, il cielo imbruniva, da azzurro diventava blu. C'erano delle strisce di nuvole rosa, l'aria era fresca.

Vedevo i palazzi, le finestre con dentro le luci accese, i balconi con biciclette, attaccapanni vuoti, armadietti di ferro, vasi di fiori quasi sempre senza fiori.

Ho immaginato chi ci abitava, ho sentito calore di casa, odore di cibi cucinati, la piccola confusione che precede il mettersi a tavola. Ho ricordato quando da bambino giocavo nella vasca da bagno, mentre mia madre preparava la cena. Aspettavo di sentire il giro delle chiavi nella porta, sapevo che dopo qualche minuto mio padre sarebbe venuto ad asciugarmi, a mettermi il borotalco e a infilarmi il pigiama. Poi, avremmo cenato tutti insieme.

Per la prima volta dopo molto tempo ho smesso di pensare al mio dolore.

La sera a casa sistemavo la spesa. Avevo comprato del latte di mandorla e delle uova, che di solito al supermercato stanno sugli scaffali. Istintivamente li ho messi in frigo come faccio sempre. Poi mi sono chiesto perché li conservo al fresco se li vendono a temperatura ambiente. Era un pensiero stupido ma mi ha strappato un sorriso. Dallo stereo è partita *Honey Jars* di Bryan John Appleby, l'avevo sentita con lei il giorno in cui dentro di me avevo pensato: "Sei la donna di cui sarebbe bello innamorarsi".

È stato un colpo che non mi aspettavo. Sono andato in sala, dove la musica era più alta, mi sono seduto sul divano e mi sono ritrovato a piangere. Non ho fatto nulla per fermare le lacrime, mi sono lasciato andare, e tutta la sofferenza che avevo accumulato nella vita si è sciolta.

All'improvviso qualcosa mi ha dato una spinta verso l'alto, come se mi avesse fatto accettare chi ero. Accettavo tutto, le cose belle e quelle meno, i momenti di forza e di debolezza. Accettavo la mia fragilità e qualcosa di profondo cambiava in me.

Ho imparato a smettere di lottare e difendermi da tutto. Non mi sentivo più perso, stavo solo vivendo una versione diversa di me.

Una mattina mi sono svegliato e il dolore se n'era andato.

Ventidue

Quando stavo con Silvia ero l'uomo che mi piaceva essere, ci facevamo sentire speciali a vicenda.

Era una situazione perfetta, prendevamo solo il meglio. Non ero mai stato così bene con una donna, e lei mi aveva confessato di non essere mai stata così bene con un uomo.

Sapevo che la magia di quel momento era a tempo, destinata a consumarsi e finire. Quel tipo di intensità ha vita breve. E allora perché ho rovinato tutto? Perché invece che godere di quel regalo fino in fondo ho voluto altro? Perché ho desiderato quello che avevo sempre cercato di evitare con tutte le mie forze?

Se il nostro rapporto era una vacanza dalla vita, in cambio di cosa ho desiderato che finisse?

Fare la spesa insieme? Cambiare una lampadina in casa? Addormentarmi con lei? Discutere del colore del divano?

Avevo la mia libertà, potevo fare quello che volevo, quando volevo, con chi volevo. Non dovevo rendere conto a nessuno, solo a me stesso.

Facevo queste riflessioni seduto sulla panchina di un parco.

Un uomo ha accartocciato un foglio di carta e l'ha tirato in un cestino centrandolo, un canestro sorprendente. Si è guardato intorno e, quando mi ha visto, mi ha fissato per capire se avessi assistito alla sua impresa. Ho alzato il pollice per complimentarmi e lui ha fatto un enorme sorriso, ha sollevato le braccia in aria in segno di vittoria, poi mi ha salutato e se ne è andato.

Ho ripensato al "noi" di cui mi aveva parlato Luca, la potenza della felicità condivisa.

Nessuno era lì a guardarmi quando facevo canestro.

Ventitré

Ero in una ferramenta, una di quelle grandi con le corsie e le scaffalature, dovevo comprare delle lampadine. Mentre cercavo di capire se fosse meglio quella da quaranta o da sessanta watt, ho alzato lo sguardo e l'ho vista. Anche se era di schiena l'ho riconosciuta subito, indossava un vestito leggero a fiori. La sua pelle era ancora color nocciola, luminosa come la ricordavo. I capelli raccolti in una coda alta. Stava leggendo una scatola che teneva in mano.

Mi sono avvicinato, e quando le sono stato alle spalle ho sentito il suo profumo. Quasi sottovoce l'ho chiamata. Si è girata, era sorpresa. «Gabriele.»

Siamo rimasti senza parole per qualche secondo.

Per rompere il silenzio ho detto: «Che ci fai qui? Non è un posto per uomini?».

«Sono lo strappo alla regola.»

Come sempre, ho pensato.

Era ancora veloce nelle risposte.

Aveva un'aria da ragazzina, qualcosa di fresco e leggero la avvolgeva.

Non la vedevo da almeno sei anni.

«Ti trovo bene» le ho detto, «non sei cambiata per niente.»

«Grazie per la bugia.» Poi ha sorriso. Era vero, non era per nulla cambiata.

«Sei più andato in California?»

Si ricordava ancora il mio sogno. Anche io ricordavo ogni singolo istante.

«Non ancora. Ma ci andrò presto.» In una frazione di secondo tutto il nostro tempo passato insieme era lì, tra noi.

C'è stato un altro silenzio, poi Silvia ha preso coraggio: «Mi è dispiaciuto per come è andata a finire». L'ho guardata un istante, era sincera.

«Anche a me. Però ne è valsa la pena, ci sono state tante cose belle.»

Ha sorriso con una dolcezza nuova.

Era bello ritrovarsi a parlare lontani da ogni conflitto.

Ero di fronte alla donna che mi aveva stravolto la vita. «Cosa stai comprando? Vuoi una mano?» le ho chiesto.

«Una lampadina per la cucina, abbiamo cambiato casa da poco, ci serviva una stanza in più. Adesso mio marito lavora da casa.»

«E tu? Insegni ancora?»

«Sì. Nell'ultimo periodo suono anche. Con amici abbiamo fatto un quartetto e ci divertiamo.»

«Tuo figlio come sta? Suona già il pianoforte?»

«È più portato per le percussioni, anche se per adesso fa solo un gran baccano.»

«E Silvana?»

Silvia ha riso. «È sempre buona, ha fatto dei corsi di cucina e adesso sta in fissa col cake design. La vediamo un po' meno.»

Ci siamo guardati come se entrambi cercassimo i due che eravamo stati. Poi ci siamo sorrisi.

«Quanto tempo è durata tra noi?» le ho chiesto.

«Insieme abbiamo fatto quasi un giro intorno al sole.» Si ricordava anche quello.

Una voce dall'altra corsia ha chiamato il mio nome. Da dietro l'angolo è sbucata Susanna: «Devo spostare l'auto, mi servono le chiavi».

Ho messo una mano nella tasca dei pantaloni. «Tieni.» Nel passargliele le ho toccato le dita con le mie, una carezza impercettibile a cui ha risposto con un sorriso.

Silvia e Susanna si sono guardate.

«È un'amica che non vedo da anni» ho detto a Susanna, poi rivolto a Silvia: «Lei è Susanna, mia moglie».

Si sono sorrise e strette la mano.

«Ti aspetto in auto» ha detto Susanna e mi ha dato un bacio su una guancia.

«Arrivo subito» le ho detto piano all'orecchio prima che si allontanasse.

Avevo pensato di raccontare a Silvia del mio lavoro, la presentazione sul cacciatorino era stata un disastro ma poi avevo recuperato alla grande. Avevo dimostrato al mio capo che ero pronto, eppure lui aveva continuato a tenere tutto in mano, era ancora al comando ed era sempre più la parodia di se stesso, l'imitazione di ciò che era stato un tempo. Andarsene dall'agenzia non era stato facile, ma ora ero contento del nuovo posto, tanto che ero riuscito a portarmi dietro anche Luca.

Alla fine sono stato zitto, non eravamo più i due che si vedevano di nascosto dal mondo, qualcosa tra di noi era scomparso. Non siamo più riusciti a dire nulla tranne delle parole di circostanza, come quando si incontra un vicino di casa sul pianerottolo e si parla del tempo.

Questa volta sono stato io a prendere in mano la situazione: «Ciao, mi ha fatto piacere rivederti».

«Anche a me.»

Uno sguardo, un sorriso, poi mi sono girato e me ne sono andato.

Quella sera a casa ho pensato a come è incredibile la vita.

Ci sono persone che abbiamo sfiorato per breve tempo, ma che hanno cambiato qualcosa di noi in maniera radicale. Le incontriamo, in un istante le perdiamo eppure ci rendono migliori, o peggiori. Passano, se ne vanno e hanno la capacità di metterci in braccio al nostro destino.

E non è nemmeno la persona in sé, è la magia del momento in cui ci si allinea, come due ascensori che, anche se vanno in direzioni opposte, si trovano per un istante alla stessa altezza.

Senza quello che avevo vissuto con Silvia non sarei stato in grado di amare Susanna come la amo adesso, non sarei stato in grado di desiderare un figlio, di desiderare una famiglia.

Il trasporto che avevo provato per lei mi aveva fatto uscire da me stesso, dal mio centro. Prima di lei, lo scopo di ogni azione, di ogni scelta era il mio benessere personale, non c'era spazio per altro, e nemmeno desideravo che ci fosse. Pensavo che ognuno lottasse per sé, non riuscivo nemmeno a immaginare un modo diverso di vivere la vita.

Era come un unico, costante selfie da quando mi svegliavo a quando andavo a letto. Nell'inquadratura tutto ciò che non ero io era sfocato e poco interessante. Mi riguardava poco.

Quello che ho provato per Silvia mi ha fatto cambiare obiettivo, allargare l'immagine.

Scoprire la bellezza del mondo che stava sullo sfondo dei miei selfie è stato dirompente.

Quando poi ho fatto un passo indietro per lasciare spazio nell'inquadratura, è arrivata Susanna.

Amare mi fa sempre un po' paura, ma sento che Susanna è un viaggio meraviglioso a cui non potrei rinunciare.

Mi piace chiederle perché mi ama e mi piace quello che mi risponde sempre: «Quando chiedi a qualcuno perché ti ama in realtà gli stai chiedendo di dirti chi sei».

Prima di cena mi sono versato del vino, girovagavo per casa con il bicchiere in mano. Ho guardato fuori dalla finestra aperta, la primavera stava tornando, di nuovo.

Ai tavolini del bar sotto casa la gente beveva e chiacchierava, una ragazza rideva, un uomo si accendeva una sigaretta.

Un tram giallo è passato ed è sparito portandosi via il rumore delle ruote sui binari.

Sono andato verso la libreria e ho cercato *La gaia scienza*, ho iniziato a leggere qua e là, fino a una parte intitolata *La mia felicità*.

Da quando fui stanco di cercare,
imparai a trovare.

È entrata Susanna. Anche se ormai è quasi un anno che siamo sposati, certi giorni è come se la sua bellezza fosse nuova, come se avesse qualcosa che non avevo colto prima.

Ha attraversato la stanza ed è venuta da me. Ha preso un sorso dal mio bicchiere: «Come va?».

«Bene» ho risposto e ho chiuso il libro.

Mi ha guardato. Quando le avevo presentato Silvia, Susanna aveva già capito tutto. In questo le donne hanno i superpoteri, nessun uomo potrà mai arrivarci.

«Sei gelosa?»

«Devo esserlo?» ha detto divertita.

L'ho abbracciata e ci siamo guardati, le ho scostato i capelli dal viso, ero così felice di averla nella mia vita che mi sembrava quasi di non meritarmelo. L'ho baciata.

Quando il bacio è finito, mi ha chiesto: «Cosa vuoi per cena?».

Raccolta di musica classica per Gabriele:

1. Frédéric Chopin, *Preludio in Mi minore n. 4 op. 28*

2. Sergej Rachmaninov, *Vocalise*

3. Erik Satie, *Je te veux*

4. Claude Debussy, *Clair de lune*

5. Ludwig van Beethoven,
   Sonata n. 14 in Do diesis minore

6. Claude Debussy, *Rêverie in Fa maggiore*

7. Erik Satie, *Gymnopédies – 1. Lent et douloureux*

8. Alfredo Catalani, *Ebben! Ne andrò lontana*,
   aria da *La Wally*

Aut. AL - 50 - 2017

Mondadori Libri S.p.A.

Questo volume è stato stampato
presso ELCOGRAF S.p.A.
Stabilimento - Cles (TN)

Stampato in Italia - Printed in Italy